Stefan Wul

Niourk

Illustrations de Victor de la Fuente

Denoël

Préface

Tous les romans de science-fiction ne traitent pas de l'exploration spatiale ou des voyages dans le temps. Certains décrivent simplement un monde différent, dans lequel les lois, les sociétés, ou les conditions de vie ont changé.

Tel est le cas de Niourk : une Terre future, ravagée par un cataclysme et revenue à l'état primitif. Monde cruel que celui-ci, où ne règne que la loi du plus fort, où le plus faible est irrémédiablement rejeté, condamné, écrasé.

Ici, le plus faible est un enfant, un enfant exclu par les siens : il est noir, donc différent, seul, donc dangereux.

Alors commence pour lui un long itinéraire semé d'embûches, une fabuleuse quête qui le mènera du dernier rang de sa tribu à la première place sur sa planète. Oui : le plus faible va se hisser graduellement au sommet des espèces, sur une Terre où toutes les hiérarchies ont été bouleversées. Ravalés au rang d'êtres primitifs, les hommes ne sont plus maîtres de leur destin. Ils reculent devant une nouvelle race de poulpes, dont les mutations successives leur permettront sans doute de devenir bientôt l'espèce dominante...

Paradoxalement, ce sont les négligences des humains d'avant le cataclysme qui auront permis ce changement, puisque c'est à cause de l'immersion de vieux déchets radioactifs que les poulpes ont, peu à peu, quitté les grandes profondeurs.

Nouvelle réplique inattendue de l'homme : utilisant dans un réflexe primitif (manger la cervelle du vaincu) les armes de ses ennemis, l'enfant noir acquerra une intelligence prodigieuse. Après avoir apprivoisé les dieux anciens de ses ancêtres, ces machines, ultimes témoins d'une civilisation déchue, il franchira en un temps record les barreaux de l'échelle des espèces, disposant enfin lui-même des pouvoirs d'un dieu.

Ultimes revanches : l'enfant noir, autrefois différent, unique et rejeté, se multiplie lui-même. Condamné à la mort, il s'accorde l'éternité, au moyen d'une science désormais maîtrisée qui lui donne le pouvoir de reconstituer la vie. Représentant d'une race déchue qui a peut-être provoqué son autodestruction, il se rend maître du mouvement des planètes. Comme il joue à multiplier son corps et ceux de ses amis, il jongle, en dictateur naïf, avec cette Terre qui est devenue un ballon entre ses mains.

L'enfant noir serait-il mégalomane… et Niourk un roman élitiste ? Non. Car ce gamin n'est pas grisé par ses pouvoirs nouveaux. Dieu, il reste un enfant. Et, mettant la science au service de ses jeux, il l'utilise pour reconstituer le cinéma d'un passé qu'il ne peut regretter, puisqu'il n'est pas adulte…

Roman à rebondissements, Niourk pose à chaque page les grands problèmes de l'humanité : les dieux, la mort, l'éternité ; l'évolution naturelle ou provoquée des espèces ; la normalité – car qui est « normal » dans ce récit, sinon peut-être Jax et Brig, vieux représentants inattendus d'une humanité périmée ? Le problème de la science bien ou mal utilisée – comment critiquer l'usage final qu'en fait l'enfant, quand on prend conscience du caractère dérisoire des vieux gadgets qui sont pourtant nos dieux d'aujourd'hui ?

Dernier problème évoqué, bien avant l'heure, par un Stefan Wul visionnaire : celui des déchets radioactifs. Peut-être ont-ils fait disparaître la quasi-totalité de l'espèce humaine. Sans doute ont-ils provoqué les mutations des poulpes, dont la volonté de survie et la nécessité d'évolution ne les rendent guère différents de l'homme préhistorique à l'aube du quaternaire... Mais s'ils contribuent à décimer les derniers humains, ils provoquent, dans un ultime sursaut qui ne tient pas du miracle, et qui illustre les ricochets possibles d'une science toujours neutre aux emplois ambigus, la multiplication de l'intelligence chez le représentant de notre espèce que ses semblables avaient jugé différent et inférieur.

Comme si l'auteur jugeait que l'homme, aux prises avec une science aux multiples tranchants, avait le droit de conserver l'espoir de sauver toujours in extremis son espèce...

Christian Grenier

Première partie

1

La tribu avait élu domicile dans la vaste dépression située entre la chaîne Cuba au nord, les monts Haït à l'est et les lointains contreforts du massif Jamaï. L'herbe y était toujours verte et le gibier abondait.

Les hommes se mettaient à plusieurs pour traquer les meutes errantes, qui se voyaient rabattues vers les marécages et criblées d'éclats de corail. Puis ils dépeçaient les chiens sauvages et revenaient chargés de viande.

Vers le soir, ils arrivaient en vue du village de tentes... Ils jetaient leur chasse au milieu du brasier préparé par les femmes et la viande grésillait dans les flammes.

Ensuite, Thôz piquait les morceaux du bout de sa lance de chef et distribuait la pitance. Chacun mastiquait lentement sa part de chair mal cuite et de cendres craquantes.

Quand les hommes avaient assez mangé, ils se retiraient et, assis à la porte des tentes, riaient grassement au spectacle des femmes et des enfants se précipitant à leur tour pour sucer les os, lécher le sang sur le sol et se brûler les doigts en cherchant des morceaux oubliés dans la braise. Ils les traitaient de mangeurs d'herbes, car la viande était en principe réservée aux chasseurs.

Thôz était grand et fort, le plus fort de tous. Des muscles roulaient sous sa peau brune, lacérée de vieilles cicatrices. Sa barbe blonde s'étalait largement sur sa poitrine puissante, contre laquelle il avait un jour étouffé un jaguar. Et pourtant, Thôz inclinait le front devant « Celui-qui-sait-tout » qu'on appelait aussi le Vieux. Il lui portait toujours la première part, dans sa tente encombrée d'objets bizarres offerts par des dieux dont il était l'ami.

Le Vieux avait vu naître tous les membres de la tribu. Nul ne se souvenait de l'avoir connu jeune. D'ailleurs, pour ces esprits barbares, le passé devenait brumeux au-delà de quelques saisons.

Il portait, roulé plusieurs fois autour de son torse maigre, un long collier de vertèbres dont chacune avait appartenu à un chef ou à un chasseur fameux. Il ajoutait ainsi à son propre prestige celui des ancêtres disparus.

2

Ce soir-là, le Vieux sortit de sa tente et resta immobile sur le seuil, visage buriné par les flammes dansantes, attendant que les rires s'éteignissent les uns après les autres. Un à un, les hommes tournèrent les yeux vers lui. Les mangeurs d'herbes s'écartèrent du grand feu.

Le Vieux s'avança lentement au centre du village et parla :

— Demain, j'irai chez les dieux, dit-il.

Un murmure courut dans la tribu. Puis Thôz approcha du Vieux un siège, simple bille de bois qu'il posa d'une main sur son épaule avant de la laisser tomber derrière Celui-qui-sait-tout. Le Vieux s'assit.

— Demain, dit-il, je monterai dans les montagnes de Cuba jusqu'à Santiag, la ville des dieux.

— Rah ! firent les voix profondes des chasseurs.

Les hommes firent tourner leurs frondes à toute vitesse et la clairière s'emplit d'un bruissement sauvage. Les femmes dansèrent autour du feu en glapissant :

— Il ira voir les dieux.

— Rah ! firent les chasseurs.

– Il leur demandera ce qu'il faut faire.
– Rah !
– Lui seul peut faire cela.
– Rah !
– Lui seul peut monter dans les neiges.
– Rah !

Les frondes tournaient toujours ; la sueur coulait sur les torses, mais les bras musclés tressautaient infatigablement au rythme rapide des poignets. Au bout d'un long temps, les litanies prirent fin. Alors les chasseurs virèrent sur eux-mêmes et le dernier tour des frondes vides fut stoppé par un choc puissant sur les tentes sonores, formées de peaux sur les carcasses de baleines.

(Des baleines échouées depuis cinq cents ans entre les îles Cuba, Haïti et Jamaïque, quand la Terre s'était brusquement asséchée, quand les continents, transformés en montagnes, dominèrent l'immense dépression atlantique réduite à quelques lacs saumâtres peuplés de monstres ; quand de vastes prairies d'herbes malsaines, coupées tantôt de déserts, tantôt de marécages, unirent les hauteurs neigeuses d'Amérique au bloc eurafricain.)

Entre deux danses, Thôz déposa aux pieds du Vieux un lourd paquet de fourrures. Pièce par pièce, les femmes vêtirent le vieillard.

L'un après l'autre, il tendit ses pieds sales et cornés tandis qu'elles lui passaient les brodequins de peau d'ours auxquels on fixa par des lanières d'épaisses semelles de cuir.

– … Afin que le froid des montagnes ne morde pas ses pieds, chantaient-elles.

— Rah ! scandaient les chasseurs.

Thôz bondissait par-dessus les flammes en faisant des moulinets avec sa lance.

Puis on dut coudre au Vieux de larges pans de fourrure autour des cuisses, autour du torse. Ses bras maigres trouvèrent asile dans un triple fourreau de peau de chien, et une toque emprisonna ses cheveux gris.

Quand il fut équipé pour son expédition, l'aube pointait derrière les premières collines de Haït. La cérémonie avait duré toute la nuit. Les chasseurs et les femmes montraient des traits tirés par la fatigue. Des enfants terrassés de sommeil gisaient çà et là dans la clairière, petits corps maigres agités de frissons dans le froid du matin.

Le Vieux se leva et dit :

— Quand je reviendrai, dans quatre jours, l'enfant noir mourra.

À ces paroles, l'enfant qui somnolait la tête entre les jambes sursauta, jetant autour de lui un regard de bête traquée. Tous les yeux de la tribu s'attachaient à lui. Les femmes claquaient de la langue avec satisfaction. Les chasseurs se fouettaient les pectoraux, avec des gestes lourds. Un autre enfant jeta une pierre à l'enfant noir, dont l'épaule saigna.

Il abaissa de nouveau la tête entre ses jambes et feignit de se rendormir pour avoir la paix. Habitué aux brimades, il connaissait le meilleur moyen d'obtenir la tranquillité : se faire oublier.

Il n'avait jamais compris pourquoi il était considéré comme un ennemi dans sa propre tribu, pourquoi il était né noir. Il ignorait que le sang vigoureux d'une race disparue resurgissait en lui, après des générations de latence. Il paraissait avoir onze ou douze ans. Le Vieux l'avait toujours haï sans savoir pourquoi : une antipathie confuse germée dans le cerveau d'une brute à demi folle. Et la tribu adoptait la haine du Vieux tout-puissant.

Pourtant, l'enfant noir avait le regard moins borné que la plupart. Son isolement moral l'avait forcé à se distraire tout seul, à former des pensées rudimentaires. Mis à l'écart des autres, de leurs occupations, de leurs fêtes, de leurs repas, ses interminables loisirs forcés avaient décuplé en lui un certain don d'observation. Il se nourrissait de détritus et de petits rongeurs attrapés à la main et dévorés crus.

Pourquoi le Vieux avait-il toujours remis à plus tard son exécution ? Par peur d'un choc en retour, d'un maléfice ? Le fait d'avoir un enfant noir dans la tribu était extraordinaire, mystérieux, donc suspect. Mais quelles conséquences pouvait avoir sa mort, pourtant ardemment désirée ? Et voilà que le Vieux décidait d'en finir ! La chose était certaine, le Vieux avait parlé net devant tout le monde, il ne pourrait se dédire. Mais il avait eu tort d'attendre si longtemps. L'enfant noir ne croyait pas, était le seul de la tribu à ne pas croire à la puissance du Vieux. Un instinct sûr lui affirmait que le Vieux n'aurait rien été sans son chapelet de vertèbres, rien du tout. Il usurpait la puissance des morts. Mais le chapelet, ça, c'était sérieux. L'enfant noir y croyait dur.

Quant aux dieux, qu'il n'avait d'ailleurs jamais vus, tantôt ils l'effrayaient, tantôt il s'imaginait leur ami. Il voyait dans sa faiblesse un complément naturel de leur puissance. Il sentait obscurément qu'il pouvait obtenir leur protection.

Ainsi songeait l'enfant noir, la tête entre les mains. Quand il perçut que l'intérêt des chasseurs l'avait quitté, il glissa un regard craintif entre ses doigts et vit que le Vieux s'était mis en marche vers l'ouest, suivi à distance respectueuse par toute la tribu.

L'enfant se leva et erra dans le village désert. Sa solitude l'effraya. Il courut vers la caravane et la suivit en se cachant, de buisson en buisson.

C'était toujours ainsi. Il craignait les autres hommes, savait qu'un jour ou l'autre il serait sacrifié, mais il avait besoin d'eux malgré tout. Plusieurs fois, il s'était enfui, mais les dangers de la brousse le ramenaient toujours vers le grand feu clair autour duquel régnait une espèce de sécurité. Il préférait être tué par les hommes à se voir pourchassé par les meutes de chiens sauvages, à risquer d'être broyé par les dents d'un saurien.

Loin devant, le Vieux paraissait déguisé en ours. Il clopinait lourdement sur une pente de graviers. On entendait les hululements des femmes ricocher en échos sinistres sur les falaises nues. On voyait les silhouettes massives des hommes qui, de temps en temps, faisaient tournoyer leurs frondes avant d'en frapper le sol ou le tronc des arbres. Par moments, ils cognaient tous ensemble et les vallées s'emplissaient d'un tonnerre lointain qui troublait les monstres au fond de leurs retraites.

Après plusieurs heures de marche, le Vieux étendit les bras. Il avait atteint le niveau des coraux. Plus haut, c'était la neige, la glace, l'air raréfié où seuls pouvaient vivre les dieux ou des êtres doués, comme le Vieux, de pouvoirs surnaturels. C'est du moins ce que croyait la tribu.

Le Vieux continua seul, trébuchant sur les coraux couverts de givre. On voyait son haleine fumer devant lui. Il remontait de temps en temps d'un coup d'épaule le sac grossier qui renfermait des racines comestibles et de la viande sèche.

3

Tant qu'il se sentit en vue de la tribu, le Vieux marcha avec dignité, sans tourner la tête. Mais, quand les hurlements des femmes n'atteignirent plus ses oreilles, il jeta un bref regard en arrière et s'arrêta. Il contempla les vallées, puis leva sa tête encapuchonnée vers les hauteurs, découvrant sa denture noire dans un sourire avide. Il se racla la gorge et souilla la neige d'un crachat verdâtre. Il assura son sac d'un coup de reins et, soufflant, continua la montée. L'air vif lui brûlait la gorge, aussi rentrait-il le menton pour respirer à travers sa barbe sale, pleine de grumeaux de vieille nourriture. Sous l'action du froid, il urina sans interrompre sa marche, et sentit une tiédeur piquante lui couler le long des jambes, imprégner les fourrures, brûler un peu plus ses plaies eczémateuses.

Malgré son grand âge et les fatigues de l'ascension, il s'imposait des efforts inouïs. Quelque chose l'attirait là-haut, quelque chose de merveilleux : la liqueur des dieux.

Il escalada les rocs autour desquels folâtraient jadis d'innombrables requins, passa les murs de corail qui, autrefois, ceinturaient des rivages, mais ne formaient plus aujourd'hui qu'un rempart couvert de neige et de rares lichens.

Enfin, la ville des dieux fut en vue. Juchée à deux mille mètres, la digue du port présentait un aspect insolite. Elle avançait en promontoire au-dessus du vide. Derrière elle, on distinguait un entassement de ruines relativement épargnées par les éboulements.

Le Vieux se hissa jusqu'au port, escalada les degrés menant à la digue et courut vers la ville morte. Ses semelles rudimentaires claquaient sur le ciment lézardé. Les pans de ses lourds vêtements volaient à la bise glaciale sifflant dans les ruines une chanson désespérée.

Le Vieux se précipita vers une grande bâtisse sans fenêtres et sans toit. On pouvait distinguer sur la façade une vieille inscription à demi rongée par les siècles. Des signes bizarres, seulement compréhensibles aux dieux :

CUBAN RUM S. A.

Le Vieux s'engouffra sous la voûte, se rua sur des entassements d'objets bizarres, cylindriques, avec une extrémité effilée, d'un poli incroyable, de teinte brune. Le Vieux brisa avec une pierre la pointe d'un de ces objets, s'assit sur le sol et, la tête renversée vers le ciel, fit couler dans sa gorge un liquide doré, à la saveur brûlante. Sa pomme d'Adam remua deux ou trois fois, à chaque déglutition, puis il s'étrangla, toussa, le visage poissé de rhum.

Quand il reprit son souffle, il poussa un profond soupir, les yeux noyés de jouissance, la bave aux lèvres. Puis il éructa bruyamment et but encore quelques gorgées. Enfin, il se mit debout et dansa d'une façon pénible, en tournant sur lui-même. Il lâcha la bouteille qui se brisa sur le sol. Il resta un instant à la considérer fixement, puis éclata de rire et en prit une autre.

– Je suis un dieu ! cria-t-il aux échos de la montagne.

Il sortit en titubant de l'entrepôt, erra par les rues encombrées de débris. Il avisa une vieille affiche de plastique représentant le visage hilare d'un homme imberbe, à la chevelure lisse comme un casque, aux dents éblouissantes. Pour s'en approcher, il contourna un tas de pierres.

Par un phénomène de réfractions successives voulu par les hommes disparus depuis des siècles, les lèvres de l'homme imberbe s'agitèrent, prononçant un mot silencieux et sans signification présente :

EASY SHAVE

– Je suis un dieu ! affirma le Vieux à l'affiche.

La moitié inférieure du rectangle de plastique, décollée, s'agita un peu dans le vent. Le Vieux regarda cela d'un œil trouble.

– Oui, dit-il. Tu as dit oui !

La vieille affiche usée se souleva encore un peu, agitant des signes magiques présentant cet aspect insolite :

EASY SHAVE
RASOIR À ULTRASONS

– Je suis un dieu, comme toi. Comme vous, dit encore
le Vieux en virant sur lui-même pour quêter l'approbation d'autres grandes images plus ou moins détériorées
qui tapissaient les murs.

Son mouvement le fit glisser à genoux. La bouteille
roula à quelques mètres, se brisa. Il rampa vers elle, but
la liqueur qui coulait à gros hoquets par l'ouverture brisée. Puis il s'endormit sur le sol, la tête couchée dans la
neige souillée de rhum et de débris de verre.

Dans la rue déserte, les dieux plats, collés aux murs,
gardaient leur sourire indifférent et tragique. Le vent se
déchirait aux angles coupants des ruines, miaulait par
les fenêtres défoncées, déséquilibrait de temps à autre
une motte de neige qui s'écrasait auprès du Vieux avec
un bruit mat.

Animés par les courants d'air, les dieux se parlaient
d'un mur à l'autre, entrecroisant au-dessus du sommeil de
l'ivrogne les muettes paroles de leur langue mystérieuse :

EASY SHAVE – COCA-COLA – VISIT MARS

4

À la fin du quatrième jour, Thôz, suivi des chasseurs, partit à la rencontre du Vieux. S'arrêtant au pied des premières falaises, ils guettèrent l'apparition de la silhouette clopinante et velue.

La nuit tomba. Thôz ordonna de faire du feu. Un chasseur sortit d'une besace une petite provision de bois sec et de mousse et frotta deux silex. Une flamme minuscule s'éleva, grandit, devint assez forte pour dévorer du bois humide et répandit une fumée acre qui fit tousser les hommes.

Ils attendirent toute la nuit. À l'aube, Thôz s'approcha des falaises et hurla comme un loup, les dents découvertes.

– Vieux !

Mais sa voix se perdit dans les nuages qui couraient à toute vitesse en s'effilochant à la cime des coraux.

– Vieux ! hurla le chœur des chasseurs.

Seul le vent répondit. Thôz s'engagea alors dans un défilé serpentant entre deux falaises. Les genoux tremblant d'une terreur sacrée, il avança d'une centaine de mètres et s'arrêta. Loin devant lui, une branche de sapin lourdement chargée de neige se débarrassa brusquement de son fardeau, traçant un rapide demi-cercle en l'air. Thôz, les yeux embués, crut discerner un geste menaçant. Il redescendit la pente à toute vitesse et, haletant, rejoignit les chasseurs. Muscles tendus, prêts à une fuite éperdue, les hommes attendirent que Thôz parlât.

– J'ai vu un dieu, dit Thôz d'une voix rauque. Il m'a fait signe d'attendre. Nous resterons ici jusqu'au milieu du jour.

5

Quand les femmes, restées au village, aperçurent la petite caravane des chasseurs qui sortait de la jungle, elles sautèrent sur place en poussant des cris de joie. Car le retour du Vieux signifiait souvent l'arrivée de cadeaux surprenants que les dieux envoyaient à la tribu : des morceaux de miroirs brisés pour se mettre dans les oreilles, des aiguilles pour coudre les peaux, de vieilles boîtes de conserve pour puiser de l'eau au marécage.

Les femmes trépignèrent. L'une d'elles tournoya à toute vitesse sur ses jambes maigres et variqueuses, bras étendus, faisant flotter autour d'elle ses longs cheveux roux et ses mamelles plates.

Mais à mesure que les chasseurs approchaient, les femmes se turent l'une après l'autre, intriguées. La danseuse folle s'arrêta et ouvrit une bouche baveuse et stupéfaite. Le Vieux n'était pas là. En silence, elles entourèrent les chasseurs. Avec mauvaise humeur, Thôz poussa violemment le manche de sa lance dans le ventre d'une femme se trouvant sur sa route. Il marcha jusqu'au milieu du village.

Il se moucha dans ses doigts et les essuya dans sa barbe blonde. Puis il fit signe aux chasseurs de jeter dans les flammes le porc sauvage qu'ils avaient tué sur le chemin du retour.

6

L'enfant noir était resté tapi derrière une tente, cœur battant, tandis que les femmes hurlaient. Quand le silence se fit, il risqua un regard dans la clairière. Il entendit Thôz annoncer l'absence du Vieux.

Cela était-il bon ou mauvais pour lui ? Il n'aurait su le dire. Des idées fugitives et mal liées entre elles se formaient dans sa cervelle inculte. Mais les faibles images qui éclosaient puis claquaient comme des bulles dans sa tête se polarisaient peu à peu autour d'un thème central. Un choix, dû à de mystérieuses et impondérables luttes d'influence entre des pensées rudimentaires et rivales, en élimina définitivement certaines, en groupa d'autres en série en assez grand nombre pour que leurs forces additionnées donnassent une impulsion motrice à ses muscles.

L'enfant noir se leva et fit le tour du village, en se cachant derrière les tentes. Il arriva jusqu'à celle du Vieux. Il dut sectionner un par un les fils épais qui cousaient les peaux entre elles et se glissa à quatre pattes à l'intérieur.

Une suffocante odeur de rhum l'assaillit, l'odeur même du Vieux. L'enfant noir resta un bon moment immobile et tremblant de frayeur, attendant d'habituer ses yeux à la pénombre qui régnait sous la carcasse de baleine dont on voyait les côtes rondes s'incurver au plafond.

Bientôt, il distingua les détails de sa retraite. Un invraisemblable bric-à-brac l'entourait : amas désordonnés de fourrures, bouteilles brisées, objets bizarres ayant appartenu aux dieux. Il reconnut la série de casseroles rouillées fixées par ordre de taille sur une bûche que le Vieux sortait les jours de grande fête et qu'il frappait à tour de bras pour rythmer les chants des femmes.

Quand l'enfant eut constaté que son sacrilège n'amenait aucune conséquence immédiate, il choisit des fourrures à sa convenance et les adapta à sa petite taille, déchirant avec ses dents les morceaux trop longs, les cousant grossièrement comme il avait vu faire aux femmes. Il se ceintura plusieurs bandes autour de la taille pour maintenir l'ensemble et s'entortilla les pieds dans des lanières de peau de chien. Il glissa dans un sac une provision de viande sèche et passa prudemment la tête par l'ouverture qu'il avait pratiquée dans le dos de la tente.

La nuit tombait. Des ronflements sonores montaient des rudimentaires abris. Deux chasseurs somnolaient auprès du feu, la fronde entre les jambes. L'enfant noir se glissa en rampant hors du village, se dirigeant vers l'ouest, gagna la brousse. Les rouages simples de son esprit étaient bloqués par une idée tenace que n'affaiblissait aucun raisonnement parasite : retrouver le Vieux.

Il s'engagea dans les hautes herbes, d'où émergeait par instants la masse sombre et hérissée des buissons d'épines, et prit la piste menant à la ville des dieux.

Alourdi par le poids inhabituel des vêtements, il marcha longtemps, inattentif aux ruisseaux de sueur inondant l'intérieur des fourrures.

Il dut plusieurs fois s'arrêter pour renouer les bandes protégeant ses pieds. Un nuage de moustiques l'accompagnait dans sa marche. Bientôt, le terrain monta par degrés, il quittait la vallée. Avec soulagement, il laissa derrière lui les hautes herbes d'où pouvait à tout instant surgir un fauve et escalada les premières pentes à l'herbe r ase. La nuit profonde l'empêchant de distinguer sa route, il se laissait de temps en temps tomber à terre et, le nez contre le sol, reconnaissait la piste aux émanations laissées par le passage des hommes. L'odeur de l'Ancêtre dominait celle des autres.

Il arriva enfin aux falaises et hésita un instant à les franchir. Derrière commençait le domaine des dieux.

– Vieux ! cria-t-il, sans oser avancer.

Il tremblait à la fois de peur et de froid sous ses fourrures.

– Dieux ! cria-t-il encore. Où est le Vieux ?

Il prêta l'oreille aux murmures du vent.

– L'enfant noir va monter chez les dieux pour retrouver le Vieux. L'enfant noir est un ami !

– Ami, ami ! répondait l'écho ricochant de falaise en falaise.

L'enfant crut discerner dans ce phénomène un accord des dieux. Il s'engagea lentement dans le défilé menant à la ville morte. De temps à autre, il répétait à tue-tête :

– L'enfant noir est un ami ! Il vient chercher le Vieux qui n'est pas venu !

Malgré le banc de brouillard qu'il traversait, il suivait facilement les traces du Vieux dans la neige. La tête courbée vers le sol, il peinait, glissait sur les pentes glacées, gêné par son accoutrement. Enfin, il dépassa le brouillard et leva les yeux. Ce qu'il vit le fit se jeter à genoux, bras étendus dans une attitude de prière et de supplication.

Au-dessus de lui, la digue noire du port se profilait sur le ciel criblé d'étoiles. Derrière elle, de hautes façades d'immeubles, blancs sous la lune, regardaient l'enfant noir de leurs centaines de fenêtres aveugles. Et celui-ci pensa que ces géants de pierre aux yeux multiples étaient des dieux, des dieux au long visage sévère, coiffés d'une frange de cheveux de neige.

Se hissant, tantôt sur les genoux, tantôt à quatre pattes, il traversa le port. De temps en temps, il se prosternait en murmurant d'une voix anxieuse et précipitée :

– L'enfant noir est un ami. Il vient seulement chercher le Vieux. Il vient chercher le Vieux qui n'est pas venu.

Quand il toucha le quai, il resta longtemps allongé sur le sol, attendant un geste ou un mot des dieux, attendant peut-être une punition terrible et brutale. Puis, rien n'arrivant, il se redressa et monta pas à pas les marches de pierre, les entrailles nouées par la peur.

Humble petite ombre solitaire se découpant sur la neige, il s'approcha des maisons. Il suivit les traces du Vieux jusqu'à l'entrée de l'entrepôt, hésita longuement à franchir le porche, se décida enfin à progresser de quelques pas craintifs, s'attendant à chaque seconde à être foudroyé.

Il ressortit à reculons et s'engagea dans une rue où les traces de celui qu'il cherchait s'interrompaient, masquées par des amas de neige poudreuse. Il laissa errer son regard autour de lui et, les yeux exorbités, retomba à genoux. Des visages jeunes et rosés l'entouraient.

– *Visit Mars*, disaient les lèvres rouges d'une hôtesse de l'espace. (Elle disait la même chose inutile dans un sourire figé depuis cinq cents ans.)

– *El mejor !* articulait en silence une figure joufflue brandissant un pot de condiments.

De saisissement, l'enfant noir se laissa tomber en avant. Ses mains plongèrent dans la neige. Il sentit sous ses doigts le contact d'un corps raidi matelassé de fourrures.

Les dieux ! C'était cela, les dieux ! Ils avaient l'air bienveillants. L'enfant noir répéta :

– Je suis venu chercher le Vieux.

Puis il osa regarder ce qu'il touchait sous la neige. Il déblaya lentement la poudre blanche amassée autour du cadavre : c'était bien le Vieux.

L'enfant noir le secoua en criant « Vieux ! ». Il faisait un geste qu'il n'aurait osé imaginer quelques heures auparavant. Il touchait le Vieux, il lui parlait, lui, paria qui n'avait jamais approché Celui-qui-sait-tout sans recevoir une pierre haineuse en pleine figure.

Mais le Vieux ne bougeait pas. Son visage bleu de froid s'agitait sous les secousses de l'enfant. Il gardait dans la mort un béat sourire d'ivrogne, sa barbe était salie de neige. Une petite stalactite de glace pendait à la commissure de ses lèvres noires.

– Le Vieux dort, murmura l'enfant. Quand le Vieux ne dormira plus, l'enfant noir lui dira que la tribu attend le Vieux.

Il quêta du regard l'approbation des dieux.

– *Easy shave*, disait un jeune dieu imberbe.

– L'enfant noir est l'ami des dieux ! osa proclamer l'enfant.

Il s'approcha respectueusement d'une affiche, la toucha. Puis, s'enhardissant, il alla toucher toutes les autres, une à une. Aucune ne s'en offusqua. L'enfant noir en conclut que les dieux étaient avec lui. Le cœur débordant d'une joie nouvelle, il se perdit dans le labyrinthe des rues désertes, riant à toutes les images qu'il rencontrait, faisant voler autour de lui à grands coups de pied la merveilleuse poudre blanche et froide qu'il touchait pour la première fois de sa vie.

7

Quand l'aube pointa derrière les collines, le cri d'un bébé affamé réveilla Thôz. Il ouvrit les yeux et regarda d'un air stupide la lueur pâle qui filtrait par une brèche de la tente au-dessus de lui. Puis il se dressa, bousculant autour de lui ses femmes. Une pensée venait d'éclore derrière son crâne épais : « Le Vieux n'est pas venu ! »

Il sortit dans la clairière. Sa peau tannée se couvrit de chair de poule à l'air vif du dehors. Comme un somnambule, il s'approcha du foyer et considéra d'un air vague les deux gardes endormis. Puis une plainte sortit de sa poitrine profonde.

Un à un, les chasseurs sortirent des tentes et se tinrent debout, la fronde roulée autour de la taille, à respectueuse distance du chef. Réveillés en sursaut, les deux gardes s'éloignèrent de Thôz, qui paraissait de méchante humeur.

Celui-ci resta longtemps à considérer la braise du foyer. Puis il leva lentement la tête et promena sur ses hommes un regard absent. Il ouvrit la bouche :

– Thôz ira attendre le Vieux aux falaises, dit-il.

Il désigna un homme.

– Bagh conduira les chasseurs. Il les conduira à la poursuite des chiens sauvages. Ce soir, Bagh et les chasseurs apporteront la viande des chiens sauvages. Et Thôz ramènera le Vieux quand il aura quitté les dieux. Il ramènera le Vieux quand il sera descendu des falaises.

Il ferma la bouche. Le tonnerre rapidement articulé de sa voix s'éteignit derrière sa barbe d'or. Il s'arma d'une fronde, prit sa lance et sortit du village d'une foulée puissante. On n'entendit plus que le bruissement des hautes herbes dans lesquelles il avait disparu. Puis ce bruit lui-même s'amenuisa, s'éteignit.

Alors Bagh fit tourner sa fronde au-dessus de sa tête et dit :

– Que les chasseurs suivent Bagh !

Les hommes s'en allèrent. Le village resta peuplé de femmes aux cheveux pendants et d'enfants maigres au ventre gonflé qui toussaient à fendre l'âme en grattant nerveusement leurs piqûres de punaises de la nuit.

8

L'enfant noir visita les ruines. Il franchit des éboulis, passa des cours désertes, pénétra dans les sous-sols d'un immeuble, s'y perdit et erra longtemps dans les entrailles souterraines de la ville, dans le labyrinthe des caves et des couloirs de métro.

Enfin, il distingua une lueur lointaine et pensa que le jour se levait. Il se dirigea vers ce qu'il croyait une issue et arriva dans une salle bariolée de publicité où la lumière était bien plus belle et bien plus chaude que celle du soleil. Il ignorait qu'une pile au silicium, intacte par miracle, éclairait et chauffait cette salle depuis des siècles.

Il se crut dans le saint des saints, dans le sanctuaire même des dieux.

Après avoir admiré, après avoir parlé familièrement aux dieux qui l'entouraient, il se coucha sur le sol, mangea une partie de ses provisions et s'endormit paisiblement après s'être débarrassé de ses fourrures trop chaudes. Une idée nouvelle berça son premier somme : « L'enfant noir dira au Vieux que la tribu l'attend. L'enfant lui dira quand il sera réveillé. Mais l'enfant noir ne suivra pas le Vieux, il restera avec les dieux. L'enfant noir est l'ami des dieux. »

9

Quand il s'éveilla, il chercha à s'échapper des souterrains et s'aperçut qu'il avait dormi à côté d'une sortie. Il grimpa les marches et se retrouva dehors.

Le froid l'obligea à redescendre pour se couvrir des vêtements qu'il avait abandonnés.

Une fois équipé, il erra dans la ville et finit par retrouver la rue où gisait le cadavre de l'ivrogne.

Son approche fit envoler trois vautours. Il trouva le visage de Celui-qui-sait-tout atrocement picoré par les becs de ces oiseaux de proie. Les orbites vidées ouvraient deux trous noirs au-dessus du rire macabre des dents, découvertes par l'absence d'une joue.

« Le Vieux est mort », comprit l'enfant noir.

Cette révélation le plongea dans une stupéfaction sans bornes. Il n'avait jamais imaginé que le vieux pût mourir un jour.

Alors, à grands efforts, il tira le mort, le fit glisser sur la neige, l'entraîna vers l'entrée du métro. Il y mit plusieurs heures. Il fut beaucoup plus facile de faire dévaler les marches au cadavre.

Quand la raideur de la chair disparut sous l'action de la tiédeur ambiante, l'enfant noir accomplit les rites qu'il avait vu effectuer dans la tribu. Par une chance unique, il avait trouvé le Vieux mort. C'était donc à lui d'accomplir les rites. Aucun chasseur ne pouvait prétendre l'avoir vu le premier.

Il fendit le crâne et dévora la cervelle crue, s'appropriant ainsi toute la force et toute la science du Vieux. Puis il peina encore un jour entier pour déshabiller le cadavre, pour fendre les chairs, pour en extirper une vertèbre qu'il ajouta au chapelet funèbre d'où le Vieux tirait la plus grosse part de son prestige.

L'enfant noir s'enroula le chapelet autour de la taille et des épaules.

– L'enfant noir est le Vieux. Le Vieux est l'enfant noir, murmura-t-il, satisfait. Le Vieux n'est plus mort. Il vit dans le corps de l'enfant noir.

Il sortit du souterrain et se dirigea vers le port. Puis il s'arrêta. Il désira revoir une dernière fois quelque chose qui l'avait intrigué la veille. Il revint sur ses pas et chercha l'endroit. C'était une grande bâtisse d'aspect sévère. Au-dessus de la porte, on voyait des signes magiques :

POLICE

L'enfant noir évita la porte hermétiquement close et entra par une fenêtre.

Sa petite taille lui permit de passer entre les barreaux d'une grille. Il traversa un bureau au parquet jonché de papiers, arriva dans une grande salle dont un mur portait un râtelier de tubes brillants. L'enfant s'empara de l'un des objets et le retourna en tous sens avec perplexité. Il mit son œil à l'orifice du tube et ne vit rien.

« C'est un os, pensa-t-il, les dieux ont sucé la moelle. »

Il souffla dans le tube, pour imiter Thôz avec son sifflet de guerre ; aucun son ne sortit. Alors, il s'avisa que l'autre extrémité du tube était renflée, qu'on pouvait la tenir bien en main, ses cannelures s'adaptant exactement aux doigts refermés sur elles.

Ce contact parfait, cette sensation de prise solide au creux de la paume lui plut. Il emporta l'objet brillant sans rien connaître de son usage.

Il traversa le port, franchit la jetée et redescendit vers la tribu. Il n'avait plus besoin de la protection des dieux pour l'affronter.

10

Quand Thôz parvint au pied des falaises, il appela le Vieux sur tous les tons pendant des heures. Il hurla jusqu'à l'épuisement et, à la nuit tombée, reprit le chemin du village, la voix brisée, la mort dans l'âme.

Tandis qu'il courait dans les hautes herbes, il lui sembla entendre quelque chose. Il s'arrêta et tendit l'oreille. Puis il s'aplatit au sol et perçut une vibration, un galop lointain et multiple. Il se redressa sur la pointe des pieds, tendit ses narines à la brise et huma les odeurs de la nuit.

« Les chiens sauvages poursuivent Thôz, pensa-t-il, c'est parce que Thôz est seul. »

Et il gronda du fond de la gorge, comme un fauve. Il reprit une course plus rapide. Au bout de quelques milliers de mètres, il fit halte encore. Il entendit des jappements espacés sur ses traces. La meute s'était encore rapprochée.

Alors il revint en arrière en faisant un grand cercle, puis, retrouvant sa piste, il s'éleva sur sa lance en un bond prodigieux par-dessus une dizaine de mètres de hautes herbes croissant sur une pente légère.

Les chiens étaient tout proches. Thôz resta blotti dans l'herbe, ouvrant grande la bouche afin d'atténuer le sifflement de sa respiration précipitée, réprimant le moindre geste, réprimant l'envie de masser sa cheville meurtrie par une pierre.

Il entendit passer la meute devant lui, sur la piste fraîche. Il entendit le trot patient, inépuisable, des chiens, coupé de brefs abois et de halètements.

Quand le bruit s'éloigna, Thôz se leva en silence et s'enfuit dans le sens de la brise, afin que son odeur n'arrivât pas aux narines des chiens. De temps en temps, il sautait en s'aidant de sa lance, afin de couper sa piste. Lorsqu'il se sentit à peu près en sécurité, il reprit la direction du village.

Au fur et à mesure qu'il en approchait, il sentait sourdre en lui une inquiétude. Il crut d'abord que le jour se levait derrière les collines, car une lueur rougeâtre colorait l'horizon. Puis il se souvint que la nuit était à peine commencée. Enfin, il remarqua que la lumière prenait sa source en un point précis du paysage, droit devant lui.

– Le village ! murmura Thôz.

Il courut plus vite, la sueur lui coulait de partout, la brise lui apportait une odeur de cendres. Une meute de chiens passa à côté de lui, presque dans ses jambes, fuyant l'incendie. Puis il vit que le sol paraissait onduler et glisser dans la direction opposée à la sienne. Il regarda mieux : une multitude de lapins, de petits rongeurs, de serpents, fuyaient pêle-mêle. Deux jaguars apparurent et s'évanouirent aussitôt en trois ou quatre bonds rapides. Puis un ours passa en grommelant sans lui accorder un regard.

Au détour d'un buisson, il aperçut brusquement un large ruban de flammes qui courait sur lui à travers la savane. L'air devenait irrespirable. Spectre noir aux bras tordus vers le ciel, un arbre solitaire se mit à fumer, puis s'enflamma d'un seul coup.

Puis, loin, Thôz distingua la carcasse noircie des tentes du village.

– Où sont les chasseurs ? Où sont les femmes ? cria Thôz dans le crépitement des flammes. Que les chasseurs répondent à Thôz ! dit-il encore.

Le rayonnement lui cuisait la peau du visage. Il dut reculer, fuir de plus en plus vite. La savane entière brûlait derrière lui.

11

Le jaguar avait faim. Son corps ocellé ondulait entre les débris calcinés et les souches d'arbres noircies par le feu, sa queue battait ses flancs étroits bourrés de muscles secs. La jungle était vide de gibier.

Par endroits, le sol fumait encore, malgré les trombes d'eau tombées pendant la nuit précédente. Par instants le jaguar se brûlait les pattes et grognait.

Il leva le mufle et huma la brise, mais il ne sentit, à l'infini, qu'une odeur de cendres refroidies. Il se remit en marche. Des nœuds de force saillaient sous son beau pelage ras.

Bientôt, il approcha des collines. Épargnées par un caprice du vent porteur de flammes, celles-ci étaient encore vertes, à peine roussies à leur base. Le jaguar bondit légèrement par-dessus une flaque de boue cendreuse et s'engagea dans les collines surchauffées de soleil. Il parcourut encore quelques centaines de mètres et se coucha sous un arbre. De temps en temps, ses flancs s'agitaient d'un tressaillement bref, sous la piqûre des insectes. Sa queue chassait nerveusement les mouches.

Le jaguar bâilla de faim, puis ses narines palpitèrent. Il se dressa sur ses pattes en réprimant un cri rauque. Des effluves d'homme arrivaient jusqu'à lui. Il resta un moment le nez dans la brise à capter les courants affaiblis et fugitifs de l'odeur. Puis il grimpa au sommet d'un monticule, hésita un instant et se coula dans les herbes de l'autre côté.

Il avançait plus vite, s'assurait en reniflant de temps en temps qu'il était dans la bonne direction, puis reprenait son trot feutré. Il s'apprêtait à passer une levée de terrain quand, brusquement, il vit l'enfant noir.

Celui-ci s'était arrêté et se débarrassait de ses fourrures. Il se mettait nu, séchant la sueur qui brûlait sa peau. Un tube brillant gisait dans l'herbe à ses pieds.

Le jaguar était encore trop loin de sa proie pour bondir. Il se coula au sommet de la butte et attendit. L'enfant noir repassait autour de son torse fluet le chapelet de vertèbres. Il s'assit dans l'herbe et se reposa.

Impatient, le jaguar recula et descendit lentement pour faire le tour du tertre et se rapprocher par la gauche.

L'enfant noir mâchait une racine aqueuse pour apaiser sa soif. Songeur, il caressait du doigt l'objet brillant qu'il rapportait de la ville des dieux. De temps en temps, il claquait ses épaules ou ses flancs dévorés par les mouches. Autour de lui, la jungle bruissait de milliers d'insectes, et cet immense grésillement ressemblait au silence dans son uniformité à peine rompue, de temps en temps, par le roucoulement lointain d'un ramier.

Il regarda ses pieds gonflés par la marche, et, brusquement, fit un bond. Il avait vu un mince serpent se glisser vers lui. Prudemment, il avança la main pour prendre l'objet brillant qu'il ne voulait pas abandonner. Il s'en empara et fit un nouveau bond en arrière.

À cet instant, un grand corps jaune plana une seconde au-dessus des herbes et retomba, griffes dehors, à l'endroit que l'enfant venait de quitter. Affolé, l'enfant noir resta immobile, fixant dans les yeux le grand chat à la gueule baveuse. Il chercha rapidement un abri autour de lui, mais il n'y avait pas d'arbre assez proche pour qu'il pût l'atteindre sans être rejoint par le fauve. Alors, il pointa devant lui le tube des dieux, attendant la deuxième attaque.

– L'enfant noir est l'ami des dieux, dit-il au jaguar d'une voix précipitée. Si le jaguar tue l'enfant noir, les dieux tueront le jaguar. L'enfant noir a le collier des morts. L'enfant noir est en même temps le Vieux. Que le jaguar s'éloigne et laisse l'enfant noir ; il a mangé la cervelle du Vieux !

Mais la bête avançait lentement ; elle fit brusquement trois pas rapides et se dressa. Fermant les yeux, l'enfant poussa devant lui le tube des dieux et tomba à la renverse sous le choc de la bête. Une secousse ébranla son bras, il lâcha son arme et se cacha la tête dans les mains, attendant d'être déchiré par les griffes du fauve dont il sentait sur lui le poids velu. Mais le jaguar ne bougeait pas. L'enfant noir sentit une tiédeur poisseuse lui couler sur le visage ; il ouvrit les yeux.

La bête morte était atrocement mutilée. Un coup de hache mystérieux l'avait coupée en biais, séparant la tête mafflue, une partie du poitrail et la patte gauche

du reste du corps inerte. Le sang inondait l'enfant noir. Il se dégagea et se dressa sur ses jambes tremblantes. Puis il émit un rire saccadé.

– Les dieux ont tué le jaguar, dit-il.

Il commençait à croire à sa propre puissance.

– Les dieux et les ancêtres du collier ont tué le jaguar, répéta-t-il. Les dieux ont tué avec le bâton brillant.

Il ramassa son arme et la braqua sur le cadavre. L'objet tressauta contre la chair morte, une langue de feu jaillit en sifflant et tailla une brèche dans l'épine dorsale du fauve. Le recul fit trébucher l'enfant.

– L'enfant noir est plus fort que le jaguar. Il est plus fort que Thôz, dit-il.

Dans son enthousiasme, et pour renforcer son affirmation, il posa brutalement sur le sol la crosse de l'arme. Celle-ci vibra et lança vers le ciel une gerbe éclatante. Étonné, l'enfant répéta son geste et obtint le même résultat. Il comprit alors qu'il suffisait de pousser la poignée en avant, qu'il n'était pas nécessaire de toucher l'adversaire pour tuer.

Il s'approcha à quelques mètres d'un arbre colossal, visa et poussa la poignée. Le tronc de l'arbre fut aux trois quarts fauché par le feu des dieux. Le bois fuma un peu sur les lèvres de la plaie ligneuse. Le géant végétal craqua, oscilla, bascula lentement et s'abattit dans un lourd bruit de tonnerre, soulevant un nuage de poussière qui s'éleva comme un encens, comme un hommage rendu au vainqueur, à la frêle silhouette immobile de l'enfant noir ébahi d'orgueil.

12

Thôz avait couru longtemps devant le feu. Près d'être vaincu, il s'était jeté hors d'haleine dans un marécage. Couché à plat ventre dans l'eau nauséabonde, il laissa passer sur lui la terrifiante chaleur. Des brandons s'éteignaient en sifflant dans l'eau. Plusieurs le brûlèrent au visage. L'air devenait irrespirable. De temps en temps, il dut plonger sa tête sous l'eau, car il sentait ses cheveux roussir. Mais l'eau elle-même devenait brûlante et Thôz craignit la mort. Enfin, les flammes s'éloignèrent, la crépitante chevelure de feu courut au loin, ratissant la savane aux herbes sèches, ne laissant derrière elle qu'un terrain noirci.

Thôz dut rester encore longtemps dans le marécage, car le sol brûlait la corne de ses pieds nus. La faim lui crispa les entrailles. Il se nourrit de crapauds cuits sous la braise des berges et en ressentit une humiliation profonde, car c'était là une nourriture indigne d'un chasseur. Des sangsues lui saignaient les jambes. Il les arracha par poignées, changea de place, recommença…

Enfin, l'orage s'annonça dans le lointain. De brèves lueurs illuminaient par éclairs un paysage désolé : silhouettes noires se découpant sur un champ de cendres grises, à l'infini. L'eau tomba en larges gouttes espacées d'abord, puis en déluge. La surface du marécage monta peu à peu. Le sol refroidit. Thôz put sortir et cheminer seul et nu sous les trombes glacées, au hasard, sans rien reconnaître de la savane.

Quand les nuages se dissipèrent, quand un dernier roulement de tonnerre gronda sur leurs croupes grises fuyant à l'horizon, le jour se leva. Thôz marcha vers l'est, à la recherche de sa tribu. Il s'appuyait sur sa lance ; ses jambes blessées enflaient à vue d'œil. Il se sentait plus faible et plus vulnérable qu'une gazelle. Les trois quarts de sa force avaient été pompés par les sangsues du marécage.

13

La tribu aux yeux hagards, aux forces épuisées par les fatigues de la nuit, gisait dans l'herbe des premières hauteurs de Haït. Des hommes ronflaient.

Debout au milieu des corps affalés, Bagh contemplait tristement l'étendue brûlée. Il cherchait à retrouver le point de la vallée où s'étaient dressées les tentes confortables et rassurantes du village, mais il ne reconnaissait plus rien.

Un profond désarroi emplissait son âme. Quand le Vieux avait disparu, il avait compté sur Thôz pour le retrouver. Mais Thôz lui-même était peut-être mort, et Bagh sentait sur lui le poids des décisions à prendre. Deux remparts de force et de sécurité s'étaient écroulés devant lui : le Vieux, puis Thôz. Et maintenant, tous les regards convergeaient vers Bagh. Mais Bagh se sentait nu et seul devant les menaces de la nature. Il était le dernier rempart de la tribu.

Celle-ci était réduite à une centaine d'individus, car l'incendie avait été meurtrier. De nombreux enfants étaient morts. L'enfant noir avait disparu, mais cela était négligeable, peut-être même une bonne chose. Bagh regrettait surtout la mort de dix forts chasseurs, parmi les plus braves, parmi ceux qui avaient affronté les flammes pour essayer de sauver leurs enfants mâles.

Ainsi rêvait Bagh, en jetant un regard voilé sur les vallées grises, hier encore vêtues d'herbes soyeuses et peuplées de gibier. Il faudrait attendre des semaines pour voir reverdir la terre, fleurir les buissons et accourir les meutes de chiens sauvages en quête de lapins.

Et, pendant des semaines, il faudrait manger. Mais manger quoi? La multitude d'animaux qui avaient fui en désordre avec les hommes étaient probablement allés beaucoup plus loin. Les collines étaient désertes de presque toute vie animale.

Soudain, Bagh tressaillit: quelque chose bougeait au loin dans le désert de cendres. Un point minuscule se dirigeait vers les collines de Haït, vers la tribu. Bagh mit la main au-dessus de ses yeux, attentif. Puis il toucha du pied la poitrine de Soum étendu non loin de lui. Soum s'assit en grognant. Bagh lui désigna quelque chose au loin, car la vue de Soum était connue pour valoir celle de l'aigle.

– C'est un homme! dit Soum.

Ils restèrent côte à côte pendant un grand quart d'heure, sans un mot. Au bout de ce temps, Soum annonça:

– C'est Thôz!

– Thôz revient! cria Bagh.

Et, comme les membres de la tribu s'éveillaient à sa voix, il répéta:

— Soum a regardé dans la vallée. Soum a vu Thôz, Thôz revient.

Une femme rit de joie. Un chasseur fit tourner sa fronde en gloussant. Quoique Bagh fût heureux, lui aussi, son soulagement était nuancé d'une amertume confuse car déjà, au retour de Thôz, plus personne ne le regardait, n'attendait de lui un ordre ou un conseil, il n'était plus le chef.

— Il faut aller au-devant de Thôz, dit-il.

Et, aussitôt, la pente de la colline fut couverte de chasseurs dévalant vers la vallée.

14

Thôz marchait lentement, la tête inclinée vers le sol. Chacun de ses pas sonnait dans son crâne douloureux. Ses jambes blessées avaient bu l'eau sale du marécage, elles étaient rouges et gonflées. Il s'appuya sur sa lance et s'arrêta, résistant à la tentation de se laisser tomber dans la cendre d'où il ne se serait pas relevé. Il jeta un regard vide vers la verdure des collines et sentit son cœur s'inonder d'espoir : il avait vu les chasseurs descendre à sa rencontre, il entendit même, amenuisés par la distance, leurs cris de bienvenue. Puis, cramponné à la hampe de son arme plantée dans la terre, il laissa retomber sa tête en avant. Un fil de bave reliait le sol à sa bouche épuisée. Il attendit les siens dans cette position.

Il fut bientôt entouré, soutenu, porté par les bras forts des chasseurs. On l'étendit sur l'herbe fraîche et les femmes lui enveloppèrent les jambes dans de grandes feuilles humides.

15

Au bout d'une semaine, Thôz se sentit assez fort pour marcher seul. Il se leva et considéra en silence le misérable bivouac fait de rares peaux de chiens tendues sur des bâtons, et dont les pans étaient maintenus au sol par des mottes de terre et des pierres. C'était l'heure où les chasseurs reviendraient bientôt et le feu brillait plus clair dans le crépuscule. Des femmes étaient prostrées autour du foyer ; leurs os saillaient car, les hommes ne leur laissant plus la moindre parcelle, elles se nourrissaient exclusivement de racines, de vers et d'insectes. Habitué à leurs criailleries et à leur caquetage, Thôz souffrait de leur silence épuisé. Hier encore, Bagh n'avait ramené que deux lapins, un pigeon et trois chiens, ce qui était très insuffisant pour nourrir la tribu. Il était grand temps que Thôz en personne dirigeât les chasseurs.

Sa poitrine se gonfla d'orgueil.

« Demain, pensa-t-il, Thôz mènera la chasse, et la

tribu pourra manger. Elle pourra construire de grandes tentes avec les peaux »

Bientôt, les chasseurs arrivèrent. La mine longue, Bagh fit déposer aux pieds du chef la viande d'un chien.

– Bagh n'a rien tué d'autre ? demanda Thôz.

– Les collines sont vides, dit Bagh ; le gibier a fui.

Thôz fit signe de jeter la viande dans les flammes. Au bout d'un temps, il distribua de menues portions aux chasseurs.

Les femmes et les enfants aux yeux agrandis les regardèrent manger. Un enfant se mit à pleurer en se mordant le poing.

Thôz attendit que la maigre pitance fût engloutie, puis il parla.

– Thôz a retrouvé sa force, dit-il. Demain, il commandera les chasseurs. Puis nous quitterons les collines. Les vallées et la savane sont brûlées.

Il désigna l'est de la pointe de sa lance.

– Par là, le terrain monte toujours, c'est la montagne de Haït, seuls les dieux y vivent.

« Là-bas, c'est le grand marécage où la tribu serait dévorée par les crocodiles.

Il montra l'ouest.

– Là-bas, les dieux ont gardé le Vieux. Les dieux sont fâchés et le Vieux n'est pas revenu, parce que la tribu n'a pas chanté assez fort et n'a pas assez dansé pour honorer le départ du Vieux. Il n'est pas redescendu de la chaîne Cuba. Et les dieux ont envoyé le feu.

La lance pivota vers le nord, désignant l'ancien détroit entre Cuba et Haïti.

— La tribu suivra Thôz. Thôz lui fera passer le col du vent. Dans le pays des monstres, nous trouverons du gibier.

Thôz sentit le frisson d'épouvante qui courait dans les esprits simples de ses compagnons. Il se dressa de toute sa taille et bomba le torse, les flammes découpèrent en méplats puissants les muscles de son corps. Il cogna du poing sa poitrine sonore et brandit sa lance.

— Thôz est fort, dit-il. Il est rusé. Avec Thôz, la tribu pourra vaincre les monstres, elle pourra manger les monstres.

La peur des chasseurs se teinta peu à peu d'orgueil agressif. Ils buvaient les paroles réconfortantes du chef. Ils avaient besoin de quelqu'un de fort pour les guider, pour remonter leur moral affaibli par les épreuves.

— Thôz tuera les monstres ! cria un homme.

— La tribu pourra manger ! hurla un autre.

Et dans les acclamations qui fusaient de toutes parts, dans les cris hystériques des femmes, Thôz, les dents au vent, la barbe blonde dressée vers les étoiles, éclata d'un grand rire confiant. De même que la tribu avait besoin de lui, il avait besoin d'elle, de son admiration, pour accroître en lui le sentiment de sa propre puissance.

16

L'enfant noir avait passé plusieurs jours dans les collines, prenant plaisir à y régner en maître, ne craignant rien des attaques des fauves, ivre de liberté et de puissance. Puis il se souvint de la tribu et palpita de joie à l'idée de la revoir.

Il se voyait arriver au village et jeter le feu des dieux vers le ciel noir, devant les chasseurs médusés.

Il imaginait Thôz pliant le genou devant celui qui avait mangé la cervelle du Vieux, devant l'ami des dieux.

Son désarroi fut total quand il sortit des collines. Le spectacle qui s'offrait à sa vue n'était que désolation. La brise faisait voler des nuages de cendre autour du squelette noir des arbres isolés. L'enfant descendit lentement vers l'endroit où se trouvait autrefois le village. Il se sentait seul. Qu'était sa puissance si elle ne pouvait se montrer ? Qu'était sa fierté, s'il ne pouvait en contempler les effets dans le miroir de centaines d'yeux braqués sur lui ?

Il erra dans la noire savane, se repérant difficilement aux rares indices déformés dont il avait gardé l'image vivante dans sa tête.

Là était le grand buisson fleuri à partir duquel on tournait à gauche. Il n'en restait que quelques rameaux épineux. Là, le gros arbre centenaire qui n'était plus qu'une grosse souche noircie. Il passa à environ mille pas du village sans le reconnaître, le dépassa, arriva au marécage qui n'était plus qu'un cloaque grisâtre avec quelques crocodiles le ventre en l'air, dépecés par les vautours.

Il tua l'un des rapaces avec l'arme des dieux et, ne trouvant rien pour faire du feu, dévora crue la viande coriace.

Vers le soir, il retrouva les carcasses de baleine et reconnut les débris du village, mais il ne put recueillir le moindre indice sur la direction qu'avait prise la tribu en fuite. La brise avait effacé les traces dans la cendre légère, l'odeur de l'homme était brouillée par celle du feu. L'enfant noir s'endormit pesamment sur le sol.

Le lendemain, il tourna en rond dans le désert surchauffé de soleil. Après des heures de cheminement solitaire, son cœur battit plus vite. Il venait de déceler sur le sol, plus ferme à cet endroit, l'empreinte d'un pied nu auquel manquait un orteil.

« Thôz », pensa l'enfant noir.

Il chercha encore et décela une deuxième empreinte une cinquantaine de mètres plus loin. L'enfant noir regarda dans la direction de l'est.

– Thôz est parti vers les collines de Haït, dit-il à mi-voix.

Il marcha courageusement vers Haït, mit de longues heures à atteindre les premières pentes, retrouva avec joie les émanations humaines imprégnant les herbes, vit les traces du bivouac de la tribu. Mais celle-ci avait émigré vers le nord.

Deuxième partie

1

Un énorme serpent de métal descendait des hauteurs d'Usa et, rectiligne, traversait des milliers de kilomètres de jungles malsaines ou de déserts salés pour aller se perdre dans le grand lac des monstres.

Ce tube avait cinq mètres de section. Par endroits, il disparaissait entièrement sous les sables. Plus loin, il unissait, comme un pont, le faîte échancré de deux collines.

Aux temps éloignés où l'océan couvrait la plus grande partie de la Terre, où seuls émergeaient les massifs élevés d'Usa, de Cuba, de Haït, d'Eurafrique, ce tube avait été construit par les hommes. Ce n'était qu'un extraordinaire vide-ordures. Des déchets dangereusement radioactifs étaient englobés dans des sphères de béton plombé qui, chassées par pression, roulaient dans le tube jusqu'à des fonds marins de six mille mètres au milieu des monstres des grandes profondeurs, là où régnait une nuit froide striée de poissons luminescents.

Depuis des millénaires, les sphères s'accumulaient au fond de la mer, et se recouvraient peu à peu de concrétions calcaires.

Lentement, très lentement, après des générations, des changements singuliers se produisirent dans l'aspect du paysage sous-marin environnant. Les boules de béton devinrent lumineuses, et la nuit des abîmes cessa d'exister.

Des algues inconnues, à la forme étrange, firent leur apparition. Des espèces animales disparurent définitivement, soit tuées par les radiations, soit rendues progressivement stériles. D'autres naquirent.

2

Ceux qui profitèrent le plus de cette nouvelle ambiance furent les grands poulpes noirs aux yeux jaunes. Leurs œufs lumineux donnèrent naissance à une progéniture mutante, d'une taille supérieure, d'une intelligence moins grossière. Des cartilages se formèrent dans leurs tentacules, puis des os nombreux donnant à leurs membres une raideur et une solidité nouvelles sans pour cela leur enlever de leur ancienne souplesse.

Plus tard, les poulpes apprirent à se grouper, à se comprendre. Ils purent communiquer entre eux par des gestes compliqués exprimant plus de nuances encore que le langage sonore des hommes.

Ils montèrent de plus en plus souvent à la surface, d'abord par simple curiosité animale et goût d'exploration, ensuite par besoin, la race étant devenue amphibie.

Quand la terre s'assécha, il en mourut un grand nombre. Mais les rescapés s'adaptèrent à la salinité accrue du grand lac, reliquat de l'ancien Atlantique. Ils purent sortir de l'eau et galoper sur les plages, avec leurs membres flexibles, à l'extrémité cornée en griffes presque solides. Ils rampaient derrière les buissons, se rendaient presque invisibles en changeant la couleur de leur peau suivant la nature du terrain. Se groupant pour traquer le gibier mammifère, ils couraient sur lui, l'étouffant de leurs bras puissants, le déchirant de leurs becs rapaces. Toutefois, deux besoins physiologiques freinaient leur ascension dans l'échelle des êtres. Le besoin de chaleur et le besoin d'eau. Ils ne pouvaient guère subsister au-delà d'un froid de zéro degré, et devaient hiberner dans les profondeurs quand gelait la surface du grand lac. Ils souffraient plus que les hommes d'une absence d'humidité, et ne pouvaient se passer sans périr d'un bain tous les trois ou quatre jours.

3

Depuis longtemps, les hommes évitaient de s'aventurer dans les parages du grand lac salé. Il courait dans leur esprit nuageux des histoires terribles, et sans doute déformées par la légende, sur le pays des monstres.

Pour les hommes de la tribu de Thôz, le problème était simple. Il suffisait de ne jamais franchir le col du vent pour être tranquille, car les monstres ne pouvaient suivre les hommes sur les pentes neigeuses.

Cependant, les poulpes avaient certainement encore évolué, car le père du père du Vieux avait un jour eu l'audace de monter jusqu'au col et il prétendait avoir vu des monstres galoper sur le givre. Il disait aussi qu'il avait vu d'innombrables feux allumés par eux et que le grand lac, la nuit, était éclairé par en dessous. Là s'arrêtaient les renseignements qu'on avait sur eux, car même le Vieux, quoiqu'il eût affirmé le contraire, n'avait jamais cherché plus loin que les révélations du père de son père.

4

C'était la nuit. Tous les membres de la tribu, serrés les uns contre les autres, somnolaient assis sur le sol. Ils frissonnaient, car le col était proche et Thôz marchait de long en large et de temps en temps sautillait sur place pour se réchauffer.

« Les chasseurs sont forts, pensait-il. Hier Thôz les a menés à la chasse. Thôz est rusé, il a ramené beaucoup de viande. La tribu a mangé beaucoup. Demain, nous tuerons les monstres. »

Quand les étoiles pâlirent, Thôz toucha de la main l'épaule de Bagh. Celui-ci s'éveilla.

– Que Bagh prenne avec lui deux chasseurs et commence à franchir le col, dit le chef. Quand il aura fait mille pas, Bagh imitera trois fois le bêlement du chamois et la tribu montera à son tour. Si Bagh voit des monstres, il poussera seulement deux fois le cri du chamois et il attendra Thôz.

Sans un mot, Bagh prit sa fronde et éveilla deux hommes. Trois ombres silencieuses se fondirent dans la nuit en direction du nord. Thôz attendit.

Au bout d'un temps, trois faibles bêlements parvinrent à son oreille. Il fit lever les membres de la tribu et les sépara en trois groupes. En avant, il plaça le gros des chasseurs, un peu en arrière la horde des mangeurs d'herbes, puis une faible arrière-garde d'une dizaine d'hommes. Il se mit à la tête de la petite armée et gravit les premières pentes.

5

En file indienne, la tribu progressait lentement entre d'énormes blocs de granit rouge dans les premières lueurs du matin. Elle était en marche depuis plusieurs heures. Les chasseurs avaient la fronde à la main, la massue à la ceinture.

Thôz grimpait en s'aidant de sa lance dans les passages difficiles. Attachée à sa taille par une corde grossière, une massue de dieu ballait sur sa hanche. Le Vieux la lui avait donnée autrefois : ce n'était qu'une énorme clef anglaise. Thôz s'en montrait très fier et ne la sortait que dans les grandes occasions. Son bras musclé, prolongé de cette arme étrange, pouvait briser d'un coup un bambou gros comme la cuisse.

De son regard d'aigle, il surveillait les hauteurs. Loin au-dessus de lui, il apercevait de temps en temps la silhouette des trois éclaireurs, tantôt à découvert sur les pentes de gravier, tantôt masqués par des bouquets de pins rabougris.

Ils s'engagèrent dans une gorge où s'amassaient des rocs cyclopéens. Loin sur la droite, des monts couverts de neige rosissaient au soleil levant; c'était Haït. Un vent violent sifflait une chanson de mort sur l'arête des granits, échevelait les femmes et faisait geindre les enfants aux pieds sanglants. Les hommes peinaient, arc-boutés en avant pour résister à la violence du souffle venu du pays des monstres. Les rares arbres aux formes tourmentées avaient leurs branches toutes penchées du même côté.

Sur la gauche, on vit, très haut, au milieu des neiges, une petite ville des dieux. Par un effet de nuages, elle semblait planer en plein ciel, au-dessus du col. Tant qu'elle fut visible, les femmes passèrent en tournant la tête ou en se voilant la face. Thôz lui-même, impressionné, ne lui jeta que quelques regards obliques et fit accélérer l'avance de la tribu.

Ils passèrent ensuite un torrent dont l'eau rapide ligotait les jambes des plus faibles pour les entraîner. Une femme chargée d'un bébé glissa, fut emportée, se rattrapa au passage en enlaçant un roc, puis se hissa dessus, trempée, levant les bras au ciel et lançant de déchirants cris de louve. Elle désignait quelque chose en aval : son bébé lui avait échappé. Des chasseurs se précipitèrent de roc en roc et s'arrêtèrent au bord d'une chute d'eau vertigineuse. Ils virent le petit corps rebondir plusieurs fois de suite et disparaître.

Ils firent des gestes d'impuissance et revinrent lentement pour rejoindre la colonne. La femme resta accroupie sur son rocher, se déchirant le visage et hurlant à pleine gorge, se laissant distancer par les autres. Puis, à demi folle, elle vint tirer par le bras un homme de l'arrière-garde. Elle cria quelque chose que le chasseur ne comprit pas, à cause du mugissement des eaux.

Le chasseur la poussa brutalement en avant, lui faisant signe de suivre la tribu. La femme avança en trébuchant, trempée d'eau et de larmes, la gorge secouée de sanglots.

6

Ils dominèrent enfin un vaste cirque cerné de hautes falaises rouges. La tribu y rejoignit les éclaireurs. Pour y descendre, ils durent former des cordes solides avec leurs frondes assujetties les unes aux autres. Ils se laissèrent glisser de terrasse en corniche et parvinrent au fond après deux bonnes heures d'efforts.

Le vent passait au-dessus de la cuvette, et Thôz eut l'impression d'un silence reposant après toute une matinée de vacarme. La chaleur devint très forte, le soleil étant au plus haut. Thôz considéra les siens, il vit leur fatigue, l'essoufflement des hommes, le cerne mauve sous les yeux des femmes et des enfants. Il donna le signal de la halte et planta sa lance dans le sol.

Une vaste mare tiède se montrait à proximité. La foule se bouscula sur ses bords pour laver sa sueur et sa fatigue. Un cri de joie jaillit.

Debout dans l'eau jusqu'à la ceinture, un homme parla, le regard brillant d'heureuse surprise.

– La mare est pleine de poissons. Gam sent les poissons frotter ses jambes.

Ce fut une ruée. Tout le monde sauta dans l'eau, la mare déborda. Les bras plongèrent, cherchant à saisir les proies glissantes. Des poissons effrayés sautillaient sur le sol, aussitôt croqués vivants. Les arêtes craquaient sous les dents avides. Un chasseur repu déposa aux pieds de Thôz une carpe énorme. Des rires fusaient. Les membres reposés par les caresses humides de la mare et les estomacs rassasiés communiquaient aux esprits une sensation de confiance et la tribu se sentit invincible.

– Thôz tuera les monstres ! dit un chasseur.

Acclamé par la foule, Thôz brandit sa lance et en menaça l'horizon. Toute prudence oubliée, les consignes de silence et de discrétion furent balayées par un torrent d'enthousiasme. Les hommes n'avaient plus faim, n'avaient plus froid. Ils se sentaient en nombre. Ils pouvaient de temps en temps se réconforter à la vue de la carrure du chef dominant celle des autres chasseurs. Une danse de guerre spontanée se forma au fond du cirque, les frondes tournoyèrent, l'écho des chants ricocha sur les rocs.

7

Une voûte sombre perçait la falaise à une faible hauteur. Au fond de sa grotte, l'ours grogna, irrité par le tintamarre qui venait déranger sa quiétude. Ses narines noires frémirent. Lourdement, il s'approcha de l'entrée de sa retraite et passa la tête au-dehors, se dressa sur ses pattes arrière et tendit son nez au vent, puis il dépassa le buisson d'épines qui lui cachait le fond du cirque. Là, il vit les hommes, il vit la foule de silhouettes gesticulantes et poussant des cris désagréables.

L'ours grogna une deuxième fois. Puis il s'étira et se fit les griffes sur le tronc penché d'un pin. Il s'assit sur le sol et considéra d'un air réfléchi les bruyants envahisseurs. Il secoua sa grosse tête poilue avec mauvaise humeur. Les glapissements aigus des femmes lui cassaient les oreilles.

Mais les hommes étant nombreux, l'ours refréna son envie de charger. Il se détourna, descendit une rampe de pierre et s'éloigna d'un trot lourd.

C'est alors que Thôz l'aperçut. D'un geste autoritaire, il arrêta les danses et désigna l'animal qui fuyait avec indolence.

– L'ours ! cria-t-il.

Il fit rapidement le geste de couper du tranchant de la main au milieu de la foule et d'un mouvement expressif du doigt indiqua l'autre bord du cirque.

Disciplinée par la décision rapide et l'autorité du chef, la passion de la chasse poussa la moitié des hommes en avant. Tandis qu'une vingtaine de chasseurs couraient pour dépasser le fauve par la droite et lui barrer le passage, les autres se formèrent sur place en une ligne éparpillée, tout en chargeant fébrilement leurs frondes.

Quant à Thôz, il courut droit à l'ours. Celui-ci arriva bientôt devant les rabatteurs et s'arrêta. Les chasseurs gesticulaient, poussaient des cris, frappaient le sol, envoyaient avec leurs pieds des nuages de poussière vers la bête.

Indécis, l'ours se dressa sur ses pattes arrière et considéra les hommes qui lui barraient la route avec une expression de placide intérêt. Malgré leur excitation, les chasseurs eurent un recul. La taille de l'animal était ahurissante.

Mais Thôz arrivait. Au bruit sourd du galop des pieds nus sur la terre, l'ours tourna la tête et vit son assaillant. Thôz s'arrêta à quelques pieds de lui, la lance en avant. Au même instant, un lourd galet lancé de côté par un chasseur énervé atteignit l'animal derrière l'oreille. Celui-ci poussa un cri effrayant, se laissa tomber à quatre pattes et secoua sa grosse tête. Puis ses petits yeux haineux se fixèrent sur la silhouette du chef immobile. Il crut que Thôz était l'auteur de cette attaque perfide et douloureuse. Il chargea.

Thôz mit un genou au sol et pointa son arme. En trois foulées, l'ours fut sur lui et se dressa, mais son élan fut bloqué par une douleur atroce en plein ventre. La pointe de corail avait pénétré en crissant dans les entrailles de la bête. D'un revers de patte l'ours faucha l'arme. La lance cassa net et Thôz roula dans la poussière. L'homme se releva aussitôt, tandis que l'animal fou de souffrance tournait sur lui-même en hurlant. Hypnotisés par le spectacle, les chasseurs ne songeaient pas à intervenir.

Déjà, la fronde de Thôz ronflait. La pierre dure atteignit l'ours en plein front. D'un bond, Thôz fut sur la bête et doubla presque aussitôt d'un coup de massue effrayant au même endroit.

L'homme avait frappé de toute sa force. Dressé de toute sa taille, les bras au ciel, il avait abattu l'arme lourde entre les deux yeux. C'était tenter la chance, car l'animal était encore dangereux, et, le coup déviant, l'ours avait le temps de s'acharner sur Thôz avant de mourir. Mais la lourde clef anglaise avait brisé l'os frontal, faisant jaillir la cervelle. L'ours trembla sur ses pattes et s'affala lourdement, le museau dans la poussière, aux pieds du vainqueur.

Immobile et haletant, la massue en main, Thôz paraissait presque étonné de sa victoire. Un silence pesa quelques secondes sur l'arène. Puis les hurlements d'une joie énorme déferlèrent. Toute la tribu fit cercle autour du chef et de la bête monstrueuse. Des chasseurs achevèrent de briser la boîte crânienne du fauve et, à genoux devant Thôz, lui offrirent la cervelle chaude.

– Thôz a vaincu l'ours !

– Il a vaincu tout seul !

– Thôz est plus fort que l'ours.

Des hommes expliquaient avec force gestes comment Thôz avait tué, ils mimaient le combat, bombaient le torse pour représenter Thôz, hurlaient pour imiter la bête. Un enfant aux yeux agrandis par l'émerveillement quitta les jambes de sa mère, toucha du doigt la grosse fourrure inerte et recula aussitôt devant l'audace de son geste.

Les narines palpitantes d'orgueil, Thôz, les mains sanglantes, acheva de manger la cervelle. Calme au milieu des exclamations, il se baissa sur le grand corps effondré que l'on commençait à dépecer sur place et reprit la pointe de sa lance. Il la lécha et la tendit à Bagh, qui savait bien choisir l'arbre et travailler le bois.

– Que Bagh fabrique une autre lance pour Thôz ! ordonna-t-il.

8

Un animal étrange errait dans la montagne. Malgré sa taille énorme, il grimpait avec agilité, s'aidant de sept membres longs et flexibles. Un huitième membre paraissait prendre naissance entre deux yeux jaunes, larges comme des soucoupes.

Tantôt l'animal ressemblait vaguement à un éléphant, tantôt à une énorme araignée, avec quelque chose de plus flasque dans sa façon de se mouvoir. La teinte de sa peau variait suivant les couleurs du décor, se confondait avec les feuillages ou les graviers. S'il restait immobile, il était malaisé de remarquer sa présence à une centaine de mètres.

Soudain, la bête tomba en arrêt. Ses yeux fixèrent un point précis au flanc d'un arbre. Lentement, le tentacule situé entre les deux yeux choisit un trait acéré dans le carquois bizarre placé sous le ventre du monstre. La fine extrémité du tentacule s'enroula en spirale autour de l'arme légère, la brandit, se détendit comme un fouet. Brusquement, animée d'un mouvement de rotation sur elle-même accentuant sa force de pénétration, la javeline fila vers l'arbre, cloua cruellement au tronc rugueux le petit écureuil roux convoité par le monstre, avec un bruit mat.

Le poulpe souffla avec satisfaction un petit nuage de vapeur par l'orifice humide qui s'ouvrait à son flanc. Puis il franchit en deux bonds la cinquantaine de mètres qui le séparait de sa proie.

Il récupéra son arme et porta le petit cadavre à l'horrible bec situé sous le tentacule central en forme de trompe.

Il s'apprêtait à continuer sa chasse solitaire lorsque sa peau se couvrit brusquement de verrues. C'était là sa manière de manifester irritation ou inquiétude. Il percevait un bruit insolite dans la montagne. On pouvait dire qu'il l'entendait, quoiqu'il fût sourd. Les plus petites vibrations anormales du sol se transmettaient à sa chair flasque et attentive, suppléant au sens de l'ouïe. De toute sa hauteur, il se dressa sur la pointe de ses huit membres ; le dôme de sa tête aux yeux jaunes dépassa la cime des arbres, comme un fantôme. Il observa l'étendue.

Puis il se ramassa sur lui-même et franchit une éminence à une vitesse incroyable, tantôt galopant, tantôt par bonds. Il parvint au bord d'une falaise et vit en contrebas d'étranges créatures s'agiter autour du cadavre d'un ours. Sa chair se hérissa ; instinctivement, il chercha une javeline, hésita, renonça à l'attaque. Il avait reconnu des hommes, ce gibier de choix, que lui avaient décrits de vieux poulpes.

Il recula lentement, évitant de manifester sa présence, se laissa agilement glisser de roc en roc et, allant de plus en plus vite, se dirigea vers le grand lac salé, qui se trouvait à plusieurs heures de là.

9

Tantôt courbé en avant, tantôt à quatre pattes, Bagh escaladait une pente glissante ; deux hommes le suivaient de près. Loin derrière, au hasard du relief, on distinguait par instants la longue file de la tribu, guidée par Thôz. La chaleur était forte.

Arrivé au sommet, Bagh essuya d'un revers de main la sueur qui l'aveuglait. Et ses lèvres se mirent à trembler. Dans un creux, visible entre deux monts, une vaste surface scintillait : le lac des monstres.

Sans la présence de ses deux compagnons, il serait revenu sur ses pas, dévalant la pente à toutes jambes. Un reste de fierté l'immobilisa. Il ordonna à l'un des deux éclaireurs d'aller rendre compte à Thôz que le lac était en vue et attendit, rassurant l'autre chasseur par son flegme apparent. Tant de légendes épouvantables formaient autour de ce lac un halo de mystère !

Au bout d'une demi-heure d'attente, l'estafette revint porteuse de l'ordre du chef : continuer. Alors Bagh se rua en avant, entraînant les deux autres avec une fougue exaltée par la peur.

Ils s'engagèrent sous la voûte sombre d'une forêt, franchirent un plateau où couraient quelques lapins, descendirent encore, marchèrent plusieurs heures et commencèrent à patauger dans de puants marécages.

Les arbres qui poussaient dans l'eau avaient des formes étranges et inquiétantes. À chaque instant, Bagh prenait une racine tordue pour un tentacule et son sang se glaçait. Enfin, ils débouchèrent sur une langue de sable blanc s'étalant au milieu d'un étang peu profond.

Épuisés, ils se lavèrent dans l'étang des boues putrides qui les maculaient jusqu'aux cheveux et s'étendirent au soleil, sursautant au moindre frémissement des feuillages de la rive.

Ils furent rejoints un peu plus tard par la tribu. Thôz considéra avec souci la fatigue des siens. Il donna le signal de la halte en piquant sa lance dans le sable.

—Les chasseurs ont besoin de repos, dit-il. La tribu va camper ici. Le soleil est encore très haut, mais la tribu va se reposer sur le sable. Le grand lac des monstres n'est pas loin. Demain, les chasseurs seront forts pour tuer les monstres.

Des sentinelles furent postées sur les rives de l'étang. Le reste de la tribu s'installa sur la presqu'île. Chacun se fit un lit dans le sable chaud. Certains dormaient la tête sous un pan de fourrure pour se protéger de l'ardeur du soleil. Beaucoup mastiquaient des lambeaux de viande d'ours. Un renouveau de prudence s'imposait. Ils étaient en plein pays des monstres, et Thôz interdit de faire du feu ou de parler fort.

Petit à petit, la lumière du soleil décrut, l'ombre des arbres s'allongea sur les eaux calmes, teintées par le ciel de pourpre et d'or. Des oiseaux de nuit commençaient leurs allées et venues sur des ailes de velours. De temps en temps, une main claquait sur une épaule dévorée par les moustiques. Par moments, le chant des crapauds s'enflait en vacarme.

L'ombre grandissait. Immobile et infatigable, la haute silhouette de Thôz veillait sur le sommeil de la tribu. Il surveillait d'un œil aigu les points de la rive où il savait postées les sentinelles, attendant un cri ou un signe d'alerte. De temps à autre, il tournait à pas lents autour de la presqu'île, vérifiait la vigilance des hommes qui barraient l'isthme et considérait avec méfiance les ombres insolites provoquées par le vent léger dans les branches.

10

Bien au chaud dans son lit de sable fait à sa taille, Bagh dormait profondément lorsque la main du chef le toucha à l'épaule. Il sursauta, fit un geste de défense et reconnut la silhouette de Thôz penchée sur lui.

– Bagh est-il reposé ? souffla Thôz.

Le chasseur sortit de son trou et s'étira en faisant craquer ses jointures.

– Bagh a un peu froid, mais il se sent fort, répondit-il.

– C'est bien, dit Thôz. Que Bagh éveille dix hommes et aille remplacer les chasseurs qui veillent sur la rive.

L'un après l'autre, dix chasseurs furent tirés de leurs songes. Comme des somnambules, ils suivirent Bagh, traversèrent l'étang avec de l'eau jusqu'à la poitrine ou jusqu'aux épaules, suivant leur taille. Ils se perdirent dans la végétation. Bientôt, Thôz vit revenir les sentinelles dont la veille était terminée.

Bagh plaça ses hommes et se coula lui-même à plat ventre sous un buisson, la massue au poing, les yeux grands ouverts sur la nuit. Au bout de quelques minutes, il sentit glisser sur son corps demi-nu une foule de contacts désagréables. De menus insectes, des larves, des vers et des crapauds lui couraient le long du torse et des jambes. Il se contraignit à bouger le moins possible, se contentant de chasser du dos de la main, de temps à autre, il ne savait quelle bestiole lui chatouillant le front ou les joues. Un contact plus net et plus froid sur la cuisse lui donna une intense envie de bondir hors du buisson. Un mince serpent cherchait la chaleur de l'homme.

Lentement, Bagh recula. Sa chair fuyait avec répulsion la chair du reptile. Il ignorait si le serpent était dangereux, aussi prenait-il des précautions pour ne pas l'irriter.

À force de patience, il réussit à mettre une bonne coudée entre lui et l'animal. Alors, il se rua au-dehors et sortit du buisson en se lacérant aux épines. Puis il avisa un tronc noueux à proximité et se hissa facilement dans l'arbre. Il monta le plus haut possible, loin de tout ce qui grouille, rampe ou glisse, loin des bêtes humides ou visqueuses. Il s'installa à califourchon sur une branche et reprit sa faction.

De son observatoire, il avait une vue étendue ; le hasard l'avait placé devant une sylve plus claire, plus espacée. Il distinguait parfaitement un entrelacs d'étangs brillant sous les étoiles. Plus loin, la végétation cédait de plus en plus de terrain aux marais. Une brume légère estompait les contours inquiétants des troncs tordus et des racines plongeantes, fondait peu à peu l'ensemble dans la même teinte bleutée.

Bagh imagina en frissonnant qu'il voyait le grand lac de tout près. Il se hissa un peu plus haut dans l'arbre pour étendre son champ d'observation. Ce qu'il vit renforça son impression. La forêt s'arrêtait à environ mille coudées. Au-delà, ce n'était que brumes étales masquant probablement d'immenses grèves salines et de l'eau, de l'eau à l'infini. C'était le grand lac.

Il planta son regard dans la brume à un endroit où elle paraissait plus épaisse. Il avait l'impression qu'elle changeait de couleur, qu'elle devenait de plus en plus sombre. Puis il crut distinguer une masse énorme qui se précisait. Il tourna lentement la tête, ferma les yeux et attendit quelques secondes.

Quand il regarda de nouveau, aucun doute ne lui resta. Quelque chose approchait. Quelque chose qui le figea contre le tronc de l'arbre, immobile et les tempes battantes. Son regard se voila. Comme en rêve il voyait maintenant deux puis trois masses semblables avancer lentement vers la forêt. Bientôt, il distingua deux gros yeux jaunes et luminescents. Un mouvement rapide sur la droite lui fit tourner la tête ; une file de monstres galopait en silence pour contourner le campement.

Puis, à gauche, d'autres silhouettes émergeaient de la brume. Bagh voulut hurler, mais sa gorge nouée n'émit aucun son. Il dégringola les branches le plus vite possible et, se jetant à l'eau, rejoignit Thôz.

— Les monstres ! souffla-t-il avec effort. Les monstres arrivent partout, là, là et là.

Son doigt tendu désignait successivement le nord, l'est et le sud.

– Les monstres sont-ils gros ? questionna Thôz.

Bagh fit un geste expressif. Sa main décrivit une vaste courbe en l'air. Thôz mit ses doigts dans sa bouche. Il émit un sifflement doux et modulé. Bientôt, on vit les guetteurs se replier sur la presqu'île. Leurs têtes semblaient de petits points noirs piquant l'eau miroitante.

Éveillés en silence par la main du chef, tous les chasseurs se rangèrent en cercle sur le pourtour de la langue de sable, la fronde à la main. Soudain, une femme se tourna sur le côté dans son sommeil. Une pierre placée sous elle lui meurtrit la hanche. Elle ouvrit les yeux et aperçut la formation défensive des hommes. Elle s'assit, scruta la rive, laissa monter lentement son regard dans les arbres et ouvrit grand la bouche. Un cri atroce jaillit de sa gorge. Elle venait d'apercevoir un dôme monumental qui dépassait la cime des feuillages, une sombre coupole percée de deux yeux hallucinants.

Le cri déchira les nerfs de tous. Les femmes se tassèrent les unes contre les autres au centre de la presqu'île avec leur piaillante marmaille. La fronde de Thôz tournoya, mais la pierre lancée ne rencontra que le vide. La terrifiante apparition s'était déjà éclipsée.

Soudain, un bruit de branches cassées et d'arbres rompus retentit dans toute la forêt, mêlé à des souffles rauques et à de lourds clapotements. Les cris des femmes vrillèrent le sang-froid des chasseurs. Thôz les fit taire d'un geste menaçant.

– Que les femmes s'enfouissent le plus possible dans le sable, ordonna-t-il, et qu'elles tiennent le visage tourné vers le sol : qu'elles nous laissent combattre.

Ses paroles ramenèrent le calme. Les femmes grattaient désespérément le sol, tournaient le visage au danger.

Le vacarme se rapprocha. Un arbre oscilla et s'abattit dans l'étang, soulevant des gerbes d'eau. Un monstre apparut sur la rive. La nuit estompait ses contours massifs, masquait son aspect. Seuls les yeux étaient nettement visibles.

Thôz fit ronfler sa fronde. Un bruit sec et flasque : un œil disparut ! Le monstre émit un reniflement si sonore qu'il ressemblait à un cri. D'autres pierres l'atteignirent un peu partout, rebondirent sur sa chair.

Mue par l'instinct de conservation plus que par le désir d'attaquer, la bête sauta dans l'étang. Une forte vague reflua vers l'isthme, inonda les chasseurs. Mais la profondeur de l'eau n'était pas suffisante pour masquer la bête à ses ennemis. Elle fit marche arrière et sortit de la vase avec un hideux bruit de succion, sous une grêle de pierres.

Déjà, d'autres poulpes géants apparaissaient. L'un d'eux fouetta l'air d'un tentacule : un chasseur tomba, la gorge percée d'une mince tige métallique.

– Visez les yeux, hurla Thôz dans le tumulte.

Les hommes redoublèrent d'ardeur. Un poulpe s'était avancé dans l'eau, à mi-distance de la presqu'île. Mais son attaque était entravée par la vase où son poids le faisait enfoncer. Il ne pouvait ni nager dans l'eau maigre de l'étang ni courir sur le fond trop visqueux. Il brandissait une javeline quand la lance de Thôz siffla et l'atteignit à l'œil. Le monstre se dressa de toute sa hauteur

en soufflant une fumée noire qui se répandit en un instant sur tout l'étang, provoquant chez les hommes une
toux violente.

Entre deux quintes, Thôz mitraillait les rives au
hasard, car on ne voyait plus rien. Chacun se sentait
seul au milieu d'une nuit totale, ignorant si les autres
continuaient le combat.

Après un long moment de toux douloureuse, Thôz
commença à distinguer autour de lui les ombres de ses
hommes. Le nuage opaque se dissipa peu à peu. Thôz
jeta encore quelques pierres dans la forêt. Mais les
monstres s'étaient retirés.

L'eau déserte battait mollement les rives. On n'entendait plus que quelques quintes espacées. Deux
hommes étaient morts, un autre blessé à l'épaule. Le
ciel pâlissait les premières lueurs d'une aube tragique.

11

Thôz ordonna d'enfouir les morts. Les chasseurs obéirent, à gestes las. Leur regard hébété reflétait l'horreur de la nuit. Thôz sentit le fléchissement du moral de la tribu. Le moment était venu de prononcer des paroles d'encouragement.

– Nous avons vaincu les monstres, dit-il. Ils ont fui. Les chasseurs ont bien combattu. Les monstres nous ont attaqués la nuit. Nous ne savions pas qu'ils le feraient, sinon nous aurions fait du feu pour combattre en voyant clair. Mais nous les tuerons. Ils ne pourront pas nous lancer des pointes de mort, car nous allons planter des pieux de bois autour du sable, pour nous abriter.

Il désigna du doigt un certain nombre d'hommes chargés d'abattre le bois. Ceux-ci traversèrent l'étang et se perdirent dans la forêt. Au bout d'un instant, un grand cri parvint aux oreilles de ceux qui étaient restés sur la presqu'île, puis un concert d'exclamations. Un chasseur apparut sur la rive et fit de grands gestes. Il mit ses mains en porte-voix autour de sa bouche et cria :

– Thôz a tué un monstre. Le monstre est là, il est mort dans la forêt.

Thôz se jeta à la nage et atteignit rapidement la rive, suivi des autres. Il s'engagea sous la futaie, guidé par celui qui avait annoncé la nouvelle. À quelques centaines de mètres de là, entourée d'hommes enthousiastes, une masse énorme gisait, affalée sur le sol spongieux, ses tentacules en désordre autour d'elle.

Tous s'écartèrent à l'arrivée du chef. Thôz s'approcha. Il poussa du pied la masse lourde et molle, il vit la lance qu'il croyait perdue plongée jusqu'à mi-hampe dans l'œil de la bête morte. Il monta sur le gros cadavre glissant et dut s'arc-bouter pour retirer son arme de la plaie. Il la brandit.

– Voilà, dit-il. Thôz a tué le monstre. Il en tuera d'autres si les chasseurs le suivent et lui obéissent.

Il désigna les tentacules.

– Que les chasseurs coupent les pattes du monstre pour nourrir la tribu.

12

L'enfant noir s'arrêta devant le squelette de l'ours. Il remua les débris d'os brisés du bout de son arme.

« La tribu a mangé l'ours, pensa-t-il. Les chasseurs ont sucé la moelle des os. »

Il tourna en rond quelque temps et finit par repérer l'endroit où les traces de pieds nus se rassemblaient toutes dans la même direction. Il s'engagea dans un défilé qui montait en pente douce entre des rocs énormes.

Il parvint au faîte d'une colline et son regard balaya l'étendue. Autour de lui, ce n'étaient que vallées encaissées où roulaient des torrents, pentes rocailleuses, pins perchés sur des buttes rougeâtres, forêts escaladant les montagnes.

L'enfant noir sentit en lui quelque chose qu'il n'aurait pu définir. Une sorte de dilatation morale de tout son être. Il était là, tout seul dans le ciel, l'arme invincible au poing, l'arme des dieux. Il régnait sur le monde, il ne craignait ni les dangers ni la faim. Et il suivait la marche de la tribu. Il arriverait bientôt en triomphateur parmi les siens. Thôz plierait le genou devant lui. Les autres enfants le regarderaient avec crainte et envie. Personne n'oserait plus jamais lui jeter de pierres. Il était l'enfant noir et il était en même temps le Vieux puisqu'il avait mangé sa cervelle. Il était aussi tous les grands chasseurs disparus dont il portait les vertèbres en collier.

L'enfant noir avait changé en quelques jours. Sa chair bien nourrie lui donnait de belles épaules rondes, des formes pleines et souples. Ce fut une belle petite statue d'ébène au regard hardi, au rire clair, qui s'étira dans le soleil au sommet de la colline dominant les vallées. Une belle statue noire et polie qui déchargea son arme brillante vers le ciel en signe de joie.

Il sauta ensuite lestement de son piédestal et descendit l'autre versant en poussant des exclamations modulées qui ressemblaient à un chant rudimentaire.

– L'enfant noir est fort, criait-il.

Et il s'amusait d'entendre l'écho répéter : « ... est fort... est fort ».

– Les dieux lui ont donné le bâton brillant.

Puis l'énumération de tout ce qu'avait fait l'enfant noir suivit.

– L'enfant noir a tué le jaguar. L'enfant noir a abattu le gros arbre. Il a tué le vautour, il a mangé le vautour. L'enfant noir n'aura plus jamais faim...

Et l'écho prolongeait chaque phrase de ces étranges litanies.

Il parvint au voisinage d'un torrent et se mit à plat ventre pour boire l'eau saine de la montagne. Chaque gorgée lui donna l'impression d'avaler une lame de métal tant l'eau était glacée. Il laissa son arme et ses fourrures sur la rive et se baigna dans un bassin naturel où l'eau était plus calme.

Quand il eut terminé ses ablutions joyeuses, il voulut revenir et nagea vers le bord. Mais il n'acheva pas son mouvement. Un ours gigantesque, frère par la taille de celui tué par Thôz, et dont il n'avait pas entendu l'approche à cause du vacarme des eaux, étanchait sa soif. L'enfant voyait sa langue rouge laper dans le bassin.

L'ours se lécha le museau, s'ébroua et frotta ses naseaux mobiles avec ses grosses pattes tout en jetant à l'enfant noir de petits regards distraits. Enfin la bête tourna autour des fourrures et de l'arme des dieux, flaira le chapelet de vertèbres sur toute sa longueur. Cela déplut si fort à l'enfant qu'il en oublia la peur. Il lança de l'eau vers l'animal en criant :

– Que l'ours laisse le chapelet et le bâton brillant. Les dieux les ont donnés à l'enfant noir.

Il fouettait la surface du bassin du plat de la main. L'ours reçut quelques gouttes sur le front et se secoua en grognant. Puis il recula à distance convenable pour ne pas être douché et s'assit sur le sol. L'enfant avança prudemment vers la rive. Mais dès qu'il parvint à quelques mètres, l'ours fut en trois pas à l'endroit où l'enfant voulait aborder. Celui-ci recula. Il lança encore de l'eau vers l'animal en l'invectivant.

Agacée, la bête se mit à marcher de long en large auprès des vêtements ; de temps en temps, elle tournait la tête vers l'enfant et lui montrait les dents. Ou bien elle faisait mine d'avancer dans l'eau mais renonçait aussitôt que ses pattes se mouillaient.

— L'ours n'aime pas l'eau froide, dit l'enfant dans un rire méprisant. Et pourtant il a une fourrure qui lui tient chaud. Quand l'enfant noir reprendra le bâton brillant, il tuera l'ours et lui arrachera sa fourrure.

Mais l'enfant claquait des dents. Son bain forcé se prolongeait. Il résolut d'en sortir et, comme l'une des rives lui était interdite par la présence du fauve, il se jeta dans le courant et, emporté, atteignit l'autre bord à une trentaine de mètres en aval.

Quand il fut à sec, il constata que l'animal avait suivi l'autre rive parallèlement et se trouvait toujours en face de lui. L'enfant remonta le long du torrent jusqu'à l'endroit qu'il avait quitté et considéra tristement le petit tas d'objets gardés de nouveau par l'ours. Là était toute sa puissance, là était sa sauvegarde, à une dizaine de mètres seulement, mais inaccessible pour l'instant.

Il s'énerva et jeta des pierres à l'ours, sans penser qu'il accroissait la rancune de l'animal et diminuait les chances de le voir quitter sa faction. En effet, celui-ci se livrait à des démonstrations d'hostilité. Il faisait mine de charger, sautillait sur place, puis se dressait sur ses pattes arrière et brassait l'air d'une façon qui eût paru comique en d'autres circonstances.

« Quand l'ours aura faim, pensa l'enfant, il faudra qu'il s'en aille chercher de la nourriture. Il laissera le bâton brillant et le chapelet de vertèbres. »

Il s'allongea sur le sol et patienta. L'ours se calma peu à peu et en fit autant. Au bout d'une heure, l'enfant noir s'étira en bâillant. Son ennemi avait la tête allongée entre les pattes et paraissait dormir, mais l'enfant ne s'y fia pas. Il distinguait fort bien les petites pupilles vigilantes sous les paupières mi-closes.

L'enfant noir regarda autour de lui, ses yeux remontèrent en amont du torrent, son front se plissa sous l'effort de la réflexion. Au bout d'un instant, il se leva et remonta lentement le cours des eaux. Comme il l'avait prévu, l'ours lui laissa prendre quelque avance, puis se dressa lourdement pour le suivre, de l'autre rive.

L'enfant remonta d'environ deux cents pas et plongea brusquement dans les eaux tumultueuses. Aidé par la force du courant, il nagea le plus rapidement possible. L'ours, d'abord surpris, trotta derrière lui mais fut rapidement distancé. L'enfant noir tourna la tête en arrière pour estimer la vitesse de son poursuivant. Faute d'attention, il se meurtrit cruellement l'épaule contre un roc et, paralysé par la douleur, se laissa entraîner au hasard. Le sort favorable le fit aboutir dans les eaux relativement calmes du bassin où il se reprit juste à temps pour voir l'ours arriver à une cinquantaine de mètres.

L'enfant fit un effort démesuré pour atteindre son arme avant l'arrivée de l'ennemi. Gêné par son bras invalide, il nagea néanmoins vers la rive et l'atteignit une fraction de seconde avant la ruée de l'ours. L'enfant saisit l'arme et tira tendis qu'il sentait déjà sur lui l'haleine de la bête. Celle-ci fit une cabriole en arrière et roula sur le flanc ; deux pattes à demi brûlées. Ses hurlements effroyables emplirent les vallées.

13

La presqu'île sableuse était entièrement ceinturée par un double barrage de pieux pointus renforcé par des nœuds de lianes solides. Dans le grand feu allumé au centre du camp grésillaient des morceaux de tentacules épais comme des torses humains. La chair au goût nouveau ne déplaisait pas aux chasseurs.

Thôz se réjouissait de voir renaître la bonne humeur de la tribu. Il comprenait obscurément que le moral des siens ne tenait qu'à une nourriture suffisante et à une victoire prestigieuse de temps en temps, sans trop de pertes d'hommes.

Jamais il n'avait mené une bataille aussi effrayante que celle de la nuit dernière. Si les chasseurs ne s'étaient pas installés sur la presqu'île, ils auraient certainement été tous massacrés. Mais le combat s'était terminé par la fuite des monstres. La confiance en avait résulté, elle s'était renforcée par la découverte du poulpe mort. On savait maintenant à quel genre d'adversaire on pouvait s'attendre. L'ennemi était puissant, mais on connaissait ses ressources et ses moyens de combat, quelques-unes de ses faiblesses aussi.

Les poulpes pouvaient abattre des arbres d'une poussée. Ils étaient certainement capables de faucher une dizaine d'hommes d'un coup de tentacule. Ils lançaient à distance des pointes de mort. Mais si leur peau molle absorbait sans dommages le choc des pierres, leurs yeux constituaient des cibles relativement faciles grâce à leur taille et à leur luminescence. Les terrains spongieux ralentissaient leur course.

Thôz ruminait en silence tout ce que l'horrible nuit lui avait appris. Il dressait péniblement des plans de bataille dans sa cervelle lourde. Il s'exaltait à des images glorieuses, se voyait répandre autour de lui la terreur chez l'ennemi. Une seule chose le déroutait, l'inquiétait : la fumée noire vomie par le monstre touché à mort. Il n'y trouvait aucune parade. Il déduisit péniblement des faits que ce phénomène avait gêné aussi bien les monstres que les hommes puisque les premiers avaient disparu. Il faudrait donc, en cas de combat, tuer le plus vite possible un poulpe afin de faire fuir les autres. Et un poulpe mort signifiait de la viande pour plusieurs jours.

Thôz fit sauter dans sa main les deux javelines métalliques lancées par les monstres. Il en projeta une sur le sol, cherchant à la piquer dans le sable. Il s'exerça plusieurs fois avant de réussir. Puis il visa un arbre situé à une dizaine de mètres au-delà de l'isthme. L'arme fila et se planta dans le bois dur. Ravi, Thôz s'exerça une bonne partie du jour, puis il obligea Bagh et quelques autres chasseurs parmi les mieux doués à en faire autant. Quand les premières étoiles piquèrent çà et là le ciel plus pâle, Thôz déclara :

— Nous garderons les pointes de mort envoyées par les monstres et nous nous en servirons contre eux.

Un faible cri attira leur attention. Une femme pointait un doigt vers son ventre, ses yeux surpris démesurément ouverts. Un silence lourd suivit. Tous, la bouche béante et le visage stupéfait, fixaient la femme sans proférer un son. Un halo lumineux nimbait les contours de l'estomac et des intestins de celle-ci.

Elle passa fiévreusement ses mains, comme deux ombres noires, sur la peau de son abdomen, comme pour chasser l'inquiétante lueur. L'effroi fit sortir un sanglot de sa gorge. Assise sur le sol, elle leva vers Thôz, qui s'était approché, un suppliant regard quêtant aide ou explication.

— La viande du monstre brûle-t-elle le ventre de la femme ? demanda Thôz avec lenteur.

La femme fit non d'un mouvement de la tête et se passa la langue sur les lèvres. Puis elle attacha ses yeux au torse du chef et sa stupéfaction horrifiée parut s'accroître. Thôz baissa son regard sur lui-même ; le feu étrange l'illuminait également. Il pouvait voir le dessin embrouillé de ses entrailles à travers sa peau.

Les uns après les autres, les chasseurs et les femmes penchaient la tête vers leur ventre, sursautaient, n'en croyaient pas leurs yeux. Une femme proche de Thôz faillit crier. Thôz lui ferma solidement la bouche de sa main puissante. Il s'empressa de parler pour dompter la panique qu'il sentait venir.

— Les monstres ont la force du feu, dit-il en se convainquant lui-même à mesure qu'il parlait. Ils sont pleins de feu. Ils crachent de la fumée. Et maintenant que les chasseurs ont mangé la viande d'un monstre, ils sont eux aussi remplis de feu, mais ce feu ne les brûle pas. S'il les brûlait, les chasseurs seraient déjà morts. Ce feu va les rendre plus forts qu'avant. Et plus les chasseurs mangeront de monstres, plus ils seront forts.

Il désigna son ventre.

— Ce feu rend Thôz plus fort, affirma-t-il.

Il se baissa, ramassa un fort gourdin qui traînait sur le sable et le brisa d'un coup sur sa cuisse levée. Il jeta au loin les deux morceaux et boitilla légèrement au milieu des autres, car il s'était fait très mal.

— Ce bâton était très gros, continua-t-il. Hier, Thôz n'aurait pu le briser. Aujourd'hui, il peut. Parce qu'il a mangé la viande de feu !

Un homme se dressa et fit tournoyer sa fronde ; la pierre siffla vers le ciel. Au bout d'un temps qui parut très long, on entendit le plongeon de la pierre dans l'étang.

— Treb a lancé la pierre par-dessus les étoiles, dit l'homme. La pierre a mis longtemps à retomber. Treb est plus fort d'avoir mangé la chair du monstre.

L'atmosphère de catastrophe se changea en enthousiasme. Tous s'essayaient à des tours de force.

Bagh sautait plus loin qu'hier. C'était vrai, tout le monde pouvait le constater ; il bondissait comme un jaguar. Gam sentait ses muscles durcir, il les faisait palper aux autres, et les autres ne pouvaient nier qu'il eût des muscles durs comme le roc.

Ainsi croissait la foi de la tribu en sa force, en son invulnérabilité. Ainsi renaissait la confiance, parce que Thôz avait trouvé les mots qu'il fallait pour agir sur des esprits simples, des mots dont il était dupe le premier.

Quand ils furent fatigués d'essayer leurs ressources nouvelles, leur attention revint à la lueur bleuâtre qui filtrait de leurs entrailles, plus vive à mesure que la nuit tombait. Ils en riaient, jouaient à la cacher de leurs mains, puis à la découvrir d'un seul coup, ou bien formaient des grilles sombres et des figures étranges avec leurs doigts.

La deuxième attaque des poulpes les surprit au milieu de leurs jeux. Une grêle de javelines s'abattit sur le camp. Frappé au milieu du front, un chasseur tournoya sur lui-même et alla rejoindre une femme qui se tordait sur le sol. Une pointe sifflante écorcha la cuisse de Thôz, qui rugit un ordre.

Tout le monde courut à l'abri de l'enceinte de pieux. Les chasseurs criblaient de pierres la forêt où se cachait l'invisible ennemi. Jugeant leurs efforts inutiles, Thôz les arrêta. Du bout de sa lance, tout en restant à couvert, il amenait à lui les javelines jonchant le sable. Bientôt, tous l'imitèrent. En peu de temps, chaque chasseur disposa d'une dizaine de sagaies. Thôz avisa près de lui un gros tas de lianes séchées par le soleil brûlant de la journée. C'était le surplus des liens ayant servi à consolider le rempart.

– Que tous fassent comme Thôz, hurla-t-il tout en faisant signe à Bagh d'allumer du feu.

Il noua autour d'une sagaie un tortillon de liane sèche, puis il jeta sa torche qui fila vers les arbres. Bientôt, lancés par les chasseurs, des dizaines d'oiseaux de feu volèrent vers la forêt.

14

L'ours était couché sur le flanc au bord du torrent, l'enfant noir debout devant lui.

– L'ours a été vaincu par le feu du bâton brillant, dit l'enfant. Il a été vaincu par l'enfant noir.

Il éclata de rire et ajouta :

– L'ours ne peut plus marcher, l'enfant noir pourrait l'achever, s'il voulait.

Il déchargea un jet de feu en l'air, la terreur fit faire à l'ours un bond pénible en arrière. La bête retomba lourdement et gémit. Elle lécha ses pattes blessées et haleta de souffrance, les yeux mi-clos et la bave à la gueule.

– L'ours a soif, dit l'enfant. L'enfant noir va lui donner de l'eau.

Il chercha autour de lui et trouva bientôt un coquillage grand comme une assiette. Il le remplit au torrent et, prudent, le poussa du bout de son arme sous le nez de l'animal qui lapa bruyamment et lécha longtemps le récipient devenu vide.

– L'ours a très soif, constata l'enfant.

Il attira à lui le coquillage et le remplit de nouveau. L'ours le vida encore trois fois de suite et se remit à lécher ses blessures. L'enfant noir s'assit et parla amicalement à la bête, qui lui inspirait une sorte de pitié.

— L'enfant pourrait achever l'ours, dit-il. Mais il lui donne à boire. Et pourtant l'ours a voulu le tuer. L'ours ne savait pas que l'enfant était l'ami des dieux. L'enfant a mangé la cervelle du Vieux.

Il se tut et fixa l'ours. L'enfant et la bête restèrent un bon moment les yeux dans les yeux.

— L'ours a peut-être faim aussi ? questionna l'enfant avec douceur.

L'ours gémit. L'enfant avisa un arbre à quelque distance, dont l'une des grosses branches bourdonnait d'abeilles. Il mit l'arbre en joue et l'abattit, puis il brûla l'essaim à distance. Il dut s'y reprendre à plusieurs fois car il restait toujours des insectes affolés tournoyant autour de la ruche.

Enfin, il osa s'approcher, fendit la grosse branche d'un jet de feu et se fit piquer au bras par une abeille rescapée. Il s'accroupit et prit dans ses mains les gluants rayons de miel. Il poussa cette nourriture vers l'ours et fut heureux de le voir accepter son cadeau. L'ours mâchait longuement la cire au goût de sucre et de fleur qui lui collait aux dents.

Assis en face de lui, l'enfant se gorgea également de miel tout en parlant à l'ours qui paraissait s'habituer à sa présence. L'enfant sentait peu à peu naître en lui une espèce d'attachement pour cet être qu'il épargnait.

– Que ferait l'ours si l'enfant noir n'était pas là ? disait-il. Il ne pourrait ni boire ni chasser avec ses pattes brûlées.

Il lui vint l'idée d'imiter le Vieux quand il soignait les brûlures avec des plantes. Il arracha quelques pieds de menthe sauvage et les broya dans le grand coquillage avec un peu d'eau. Puis, tournant avec circonspection autour du gros animal impotent, il alla déposer avec douceur l'emplâtre ainsi obtenu sur la blessure de la patte arrière.

Il se risqua à renouveler son geste sur la patte avant, là où la bête aurait pu lui broyer un membre d'un coup de mâchoire. Mais l'ours, les yeux mi-clos, ne bougea pas. Alors l'enfant lui caressa légèrement le front. L'ours émit un léger grondement. L'enfant recula sa main, puis recommença. L'ours gronda moins fort que la première fois. Au bout d'un moment, il soupira d'aise sous la caresse, nouvelle pour lui, d'une main d'homme et poussa sa grosse tête sous l'aisselle de l'enfant qui riait de contentement.

Quand le soir tomba, l'enfant et la bête dormaient côte à côte auprès d'un feu de bois. Leurs rêves étaient bercés par le murmure du vent, le chuchotement des eaux et les craquements des flammes.

15

Au bout de deux jours, l'ours put marcher en boitillant, encouragé par l'enfant qui le nourrissait de miel
et de poissons. Le cinquième jour, il était presque valide
et suivait l'enfant partout. Celui-ci ne pouvait se
résoudre à quitter son gros ami. Enfin, il se décida et dit
à l'oreille de la bête :

— Il faut que l'enfant noir retrouve la tribu. Il va quitter l'ours. L'ours est guéri maintenant, il peut chasser
seul. Il n'a plus besoin de l'enfant noir.

Et l'enfant, après une dernière caresse, s'en alla vers
le nord. La bête lui laissa prendre quelque avance puis
elle trottina pesamment sur les talons de son maître.

Vers le milieu du jour, ils s'arrêtèrent au creux d'une
vallée sèche, mangèrent un peu de la viande d'une
chèvre sauvage que l'enfant avait tuée et s'endormirent
à l'ombre d'un grand roc. Ils laissèrent ainsi passer le
plus fort de la chaleur.

Quand il s'éveilla, l'enfant, par jeu, enfourcha l'en-
colure de l'ours. Celui-ci fut d'abord surpris et secoua la

tête. Puis il se mit debout et flaira avec étonnement les petites jambes musclées qui pendaient de chaque côté de son cou. Enfin, il se leva et fit quelques pas au soleil, à la grande joie de l'enfant qui lui caressait les oreilles. Au bout de la journée, le jeu s'étant souvent renouvelé, la bête était tout à fait habituée à servir de monture et l'enfant en profitait chaque fois qu'il se sentait fatigué ou quand le sol rocailleux lui meurtrissait les pieds.

Suivant les traces de la tribu, ils entrèrent dans la grande forêt au sol fangeux et pataugèrent dans les boues nauséabondes des marécages. Dégoûté, l'ours progressait en s'agrippant des griffes aux énormes racines tortueuses et l'enfant l'imita bientôt. L'avance était ainsi plus lente, mais moins épuisante.

Quand la nuit tomba, ils cherchèrent une place à peu près sèche et l'enfant fit du feu. Ils eurent un sommeil pénible sous la pluie tiède et désagréable qui tombait continuellement des feuillages formant une voûte humide entre eux et les étoiles.

Au matin, ils reprirent leur marche harassante au milieu de la brume porteuse de miasmes et d'odeurs pourries. Ils étanchèrent leur soif dans un étang relativement limpide et sautèrent de racine en racine, glissant, rampant, s'accrochant aux nœuds du bois. De temps en temps, l'enfant noir retrouvait une trace du passage des hommes. Là, une empreinte de pied nu se découpait nettement sur les lichens humides ; plus loin, l'appui d'une main fangeuse avait laissé le dessin net de cinq doigts sur un tronc d'arbre.

Soudain, l'ours grogna. L'enfant le calma d'une caresse

et continua sa progression, mais l'animal ne le suivait plus qu'avec réticence. Ils débouchèrent sur la presqu'île sableuse où les chasseurs s'étaient battus contre les monstres.

Le brouillard s'était levé. L'étang calme reflétait les formes et les couleurs de la forêt. Au milieu de la presqu'île un vaste cercle charbonneux indiquait l'endroit où les hommes avaient allumé leur feu. Des fourrures abandonnées jonchaient le sol çà et là, ainsi que des frondes et des massues.

L'enfant noir avisa la lance de Thôz. La pointe de corail en était brisée. Des ossements étranges, comme des vertèbres de poissons énormes, parsemaient le camp dévasté. La clôture de pieux était effondrée en plusieurs endroits. Sur les rives, plusieurs arbres avaient été déracinés par des forces inconnues. Les caresses de l'enfant n'arrivaient plus à calmer les grondements de l'ours qui flairait le sol avec mauvaise humeur, son gros pelage animé de tressaillements convulsifs.

L'enfant regagna la rive et alla examiner les arbres abattus. Les gigantesques racines avaient soulevé comme des leviers des murs de terre glaiseuse où grouillait une vermine de larves et d'insectes mous et rampants. Un bourdonnement continu, sur la gauche, attira l'attention de l'enfant.

Suivi de son compagnon, il s'avança dans la direction d'où venait le bruit et fut frappé au visage par une épouvantable odeur de décomposition. Une grande masse noirâtre gisait entre les arbres, environnée de milliers de mouches. Une araignée gigantesque, aux longues pattes molles, pourrissait dans l'humidité de la forêt. Certaines de ses pattes étaient coupées, les autres s'étalaient en étoile autour du gros corps gélatineux.

L'enfant recula et s'engagea plus loin vers le nord, au milieu des buissons épineux qui remplaçaient peu à peu les arbres. Le sol devenait plus sec et plus sain, la glaise et la boue faisaient place peu à peu au sable et aux débris de coquillages. De longues herbes pointues formaient comme des îles vertes au milieu des dunes. L'enfant suivait d'étranges traces.

Le sable avait été foulé par des membres longs et flexueux. On aurait dit le passage d'innombrables serpents. Plus une seule empreinte humaine ! L'ours grondait toujours. Soudain, au détour d'une dune, l'enfant s'aplatit sur le sol et posa sa main sur la tête de l'ours qui montrait les dents.

Un peu en contrebas un monstre se prélassait au soleil : il plongeait avec volupté ses tentacules dans le sable et s'envoyait de petits nuages de poussière sur le dos. Puis, se levant, il s'étira de toute sa hauteur et se secoua. Sa chair flasque ballotta. Un soupir rauque s'échappa de sa fente respiratoire.

Au même moment, voyant l'ours et son maître, il prit l'immobilité d'un roc, ses larges yeux jaunes braqués sur l'ennemi. Son horrible bec claqua de colère. Un long membre se replia doucement en arrière, dardant une sagaie. Devant la menace, l'enfant tira, balayant l'espace de son arme. Une lanière de feu fouetta la masse du monstre ; une longue plaie molle vomit un torrent de liquide noir et visqueux. La bête s'affaissa sur elle-même, comme un ballon dégonflé, avec d'affreux gargouillements. Une taie laiteuse voila son regard.

– L'enfant noir a tué le monstre, dit le vainqueur à voix basse.

Mais il tremblait encore de frayeur. Immobile, l'ours n'avait pas cessé de gronder. L'enfant s'approcha du grand cadavre, toucha du pied l'extrémité d'un tentacule, qui se rétracta. Un deuxième jet de feu fendit en deux le crâne visqueux. L'enfant grimpa en glissant sur l'épaule du monstre et mordit à peine bouche dans la cervelle glacée.

L'ours flaira longuement un tentacule et se décida à y planter les dents.

16

Un rêve affreux torturait Thôz. Des oiseaux de feu traversaient la voûte noire du ciel. Mais cette voûte immense était également celle de son crâne. Sa tête douloureuse avait pris les proportions de la vaste nuit cloutée d'étoiles. Le passage des oiseaux de feu y provoquait des douleurs fulgurantes. Le combat faisait rage contre les monstres. Tout le monde, et lui-même, Thôz, s'agitait dans son crâne qui était en même temps le monde. Il était à la fois l'homme acteur et la nature indifférente spectatrice.

Des chasseurs tombaient. Les monstres hurlaient en secouant de leurs dos les banderilles enflammées. L'étang reflétait de sinistres lueurs. Thôz se vit assener un coup de massue sur un tentacule qui s'insérait subrepticement entre les pieux du rempart. Il vit une femme enlevée dans les airs pantelante contre un arbre. Puis un nuage noir obscurcit sa vue, irrita sa gorge. Il poussa de toutes ses forces sa lance dans la phosphorescence d'un œil de monstre. Un choc violent à la tempe lui fit perdre l'équilibre, sa bouche s'emplit de sable...

Thôz gémit en rêve et son gémissement l'éveilla. Il mâcha le fin gravier qui craqua sous ses dents, ouvrit les yeux, voulut se redresser. Mais des liens solides entravaient ses membres.

Il réussit à rouler sur le dos et ferma les paupières sous l'ardeur du soleil. Après plusieurs essais, ses pupilles s'habituèrent à la grande lumière. Il regarda autour de lui. Jetés sur la plage comme des sacs, ses compagnons gisaient autour de lui. Il rencontra les yeux de Bagh.

– Où est la forêt ? Où sont les remparts ? demanda Thôz d'une voix affaiblie.

Bagh passa sa langue sur ses lèvres sèches.

– La forêt est à deux mille pas d'ici, dit-il. Les monstres ont emmené les chasseurs au nord du grand lac salé.

D'un mouvement de tête, il désigna l'immense surface des eaux bleues. Des vagues plates léchaient doucement les sables brûlants de la plage. Thôz réussit à s'asseoir, ses gros yeux brillèrent de colère.

– Thôz coupera ses liens, dit-il d'une voix rauque. Il délivrera les chasseurs, il tuera les monstres.

Bagh ne répondit rien. Il s'allongea sur le sable comme pour dormir. Et Thôz sentit que Bagh ne le croyait pas.

Le chef tourna la tête de part et d'autre. Une petite centaine de corps ligotés parsemaient le sol. À demi plongés dans l'eau, deux grands poulpes immobiles paraissaient sommeiller. Les lentes vagues étales se retroussaient doucement autour de leurs flancs comme autour de deux îles.

De rage impuissante, Thôz grinça des dents. Il examina les liens solides qui meurtrissaient ses chevilles. Ce n'étaient pas des lianes.

« Les monstres m'ont attaché avec des herbes d'eau », pensa dédaigneusement Thôz.

Il banda ses muscles, ne doutant pas de réussir facilement à se libérer. Mais les liens lui entrèrent dans les chairs. Le sable se tacha de rouge autour de ses membres. Des gouttes de sueur lui inondèrent le visage. Il se reposa un moment. Il essaya brusquement d'écarter ses poignets de son dos, tira de toutes ses forces en arrière. La peau brune de son torse se zébra de sillons sanglants.

Cet échec affecta profondément Thôz. Il n'était pas habitué à voir les choses ou les êtres lui résister. Une immense stupéfaction l'envahit, qui fit place peu à peu à l'inquiétude. Il secoua la tête, comme pour chasser de douloureuses réflexions.

Il entreprit de dénombrer les membres de la tribu. Il recommença plusieurs fois, péniblement, car ses liens l'empêchaient de compter sur ses doigts. Chaque fois qu'il arrivait à dix, il imprimait une marque dans le sol avec ses talons. Il obtint le chiffre de huit fois les dix doigts des mains, plus trois doigts. Trois enfants, une femme et cinq chasseurs manquaient depuis la veille.

Soudain, une vague plus forte que les autres lui inonda les jambes. Trois monstres émergeaient des profondeurs du lac. Les deux poulpes endormis parurent s'éveiller, ils s'étirèrent paresseusement en hauteur, décuplant leur taille. Les cinq monstres se firent quelques signes étranges, soufflèrent comme des sirènes et sortirent de l'eau. Les énormes becs de perroquet devinrent visibles, ajoutant à l'horreur de leur aspect.

L'un d'eux s'avança au milieu des corps ligotés. Il posait ses membres avec douceur entre les corps allongés, sans les meurtrir. Il avait des gestes d'une délicatesse incroyable, malgré ses proportions. Deux ou trois chasseurs furent palpés, puis négligés. Il choisit deux femmes paralysées de terreur et les lança avec aisance aux autres qui les attrapèrent comme des balles.

Un monstre un peu plus grand que les autres tint une femme devant ses yeux fixes, comme on considère un sandwich. Puis il la porta délicatement à son bec. Un cri bref rompu par un claquement sec : le monstre dégustait paisiblement la première bouchée. Le tentacule balançait avec satisfaction un corps décapité d'où des flots de sang s'échappaient par hoquets, avec de grosses bulles d'air.

Un petit poulpe surgit brusquement de l'eau et exécuta autour de l'autre une danse comique et cruelle, la danse d'un enfant qui veut goûter. Le grand poulpe lui tendit gentiment la femme mutilée. Le petit poulpe mordit avec maladresse au milieu du corps ; un flot d'entrailles se répandit sur lui. L'enfant pieuvre recula pour se dégager en tirant désespérément sur un intestin élastique, puis il se rapprocha en engloutissant au fur et à mesure le long tube tiède. Il tira d'un coup sec, les boyaux cassèrent et s'enroulèrent autour de son bec. Le grand poulpe, du bout d'un tentacule, lui remit paternellement dans le bec le morceau qui pendait et croqua lui-même une deuxième bouchée.

La deuxième femme était cruellement dilacérée par les autres monstres.

Les chasseurs ouvraient des yeux hagards. Les femmes tournaient la tête vers le sol pour ne rien voir. Un enfant tremblait convulsivement, sans un cri.

Soudain, la surface du lac frémit. Une dizaine de monstres sortirent lentement de l'eau et se mirent à choisir parmi les proies ligotées. Un tentacule palpa Thôz muet d'horreur, le retourna dans tous les sens, s'enroula autour de lui. Thôz se sentit soulevé ; il eut une espèce de vertige, vit une grande lueur et retomba sur le sable.

Il ne bougea pas. Les dents serrées, il voyait au-dessus de lui palpiter la chair du monstre. Tout autour, comme de grosses colonnes tordues, les tentacules posés sur le sol lui dérobaient trois quarts de champ visuel. Il distingua entre les membres énormes le visage de Bagh, couché un peu plus loin. Bagh avait la bouche et les yeux grands ouverts de stupéfaction. Thôz entendit le bec du poulpe claquer de colère au-dessus de lui.

Brusquement, un nuage de sable le frappa au visage. Quand il rouvrit les yeux, le monstre n'était plus là. Thôz se laissa rouler de côté pour voir ce qui arrivait. Les monstres avaient abandonné leurs victimes. Ils se dirigeaient en deux colonnes vers quelque chose qui débouchait des dunes sur la plage. Thôz vit un ours bizarre avec quelque chose sur le dos. L'ours avançait sans se presser.

Les deux colonnes de monstres, très écartées l'une de l'autre, amorçaient un vaste mouvement tournant pour rabattre l'intrus vers le lac.

– L'enfant noir, cria un chasseur. C'est l'enfant noir qui est monté sur l'ours.

Les monstres opéraient leur jonction dans le dos de l'étrange cavalier. L'étau se resserra autour de lui. Alors, l'enfant, d'un geste négligent, balaya l'espace d'un ruban de flammes sifflantes.

L'effet en fut prodigieux. Quatre poulpes s'effondrèrent sur place en vomissant une humeur noire ; trois autres, les membres plus ou moins fauchés, boitillaient sur des moignons. Le reste de la scène se perdit dans un nuage de fumée acre.

Hallucinée, la tribu impuissante regardait de tous ses yeux le vaste nuage sombre d'où s'échappaient des éclairs de feu et des hurlements qui révélaient la violence du combat.

Bientôt, on vit un poulpe bondir hors du nuage et se précipiter vers le lac. Cueillant au passage deux enfants ligotés et hurlants, il plongea, inondant les chasseurs d'une pluie d'eau salée. Un autre monstre s'échappa de l'enfer et courut vers le lac à son tour, tout en protégeant sa retraite d'une grêle de sagaies.

Le silence se rétablit. Peu à peu la fumée s'effilocha dans la brise. On n'entendit plus qu'une toux intermittente. On vit arriver l'enfant noir, une main serrée sur sa poitrine oppressée ; l'ours marchait à son côté, éternuant tous les dix pas.

Quand ils furent tout près des chasseurs, l'ours gronda. Mais l'enfant le calma d'une caresse derrière les oreilles.

– Que les chasseurs ne craignent rien, dit-il, l'ours est l'ami de l'enfant noir.

Et il resta debout, une main posée sur l'échine de la bête, tenant de l'autre une arme étrange et brillante. Une blessure en séton saignait sur sa cuisse. Le grand chapelet de vertèbres était passé trois fois autour de son torse mince.

Une quinte le courba en deux. Il se racla la gorge, cracha et reprit sa respiration. Puis il parla d'une traite en regardant Thôz.

– L'enfant noir est en même temps le Vieux, dit-il, il a mangé la cervelle du Vieux, parce qu'il a trouvé le Vieux mort à Santiag, la ville des dieux. Il a mangé sa cervelle et il a pris le collier des ancêtres. Il a aussi mangé la cervelle du jaguar et du vautour, et aussi celle d'un monstre qu'il a tué dans les collines de sable. Il a fait de l'ours son ami. Il a tué les monstres avec le bâton brillant que les dieux lui ont donné. L'enfant noir est l'ami des dieux. L'enfant noir est le Vieux, mais il est aussi le jaguar et le monstre. C'est pour cela qu'il est plus fort que le Vieux. C'est pour cela qu'il a fait plus de choses que le Vieux.

Il se tut. L'ours lui léchait la main. Derrière lui, sur la plage où la fumée s'était dissipée, treize grands cadavres confirmaient sa puissance.

Troisième partie

1

Se profilant sur un ciel écarlate, une file de silhouettes humaines cheminait sur la crête de la colline. L'enfant noir et l'ours marchaient en tête.

L'enfant appela Thôz près de lui.

— Les entrailles des hommes commencent à briller du feu des monstres, dit-il. La nuit va tomber bientôt. Thôz devrait ordonner la halte.

Thôz jeta les yeux sur les chasseurs. Un énorme nœud de feu bleuâtre transparaissait sous la peau des ventres, un réseau de veines brillantes commençait à rayer les membres. Le phénomène qui l'avait effrayé quelques semaines auparavant se renouvelait tous les soirs et s'était accentué jusqu'à faire de la tribu une hallucinante collection de planches anatomiques lumineuses se mouvant dans la nuit. Loin de s'en inquiéter, les hommes en tiraient de l'orgueil.

Thôz parla :

— L'enfant noir a raison, dit-il. La tribu va camper en bas de la colline.

Son doigt désignait une petite vallée en contrebas, où l'on distinguait le reflet d'un ruisseau entre les noirs feuillages.

Ils contournèrent des rocs, passèrent sous la voûte obscure d'un petit bois d'eucalyptus et atteignirent les bords du ruisseau.

Tous se jetèrent à plat ventre pour boire, car la longue marche au soleil avait été épuisante. Puis les chasseurs entassèrent du bois sec. L'enfant noir y mit le feu d'une décharge de son arme, ce qui allait beaucoup plus vite que de frapper deux silex, et renouvelait tous les soirs l'émerveillement de la tribu et le prestige de l'enfant.

Depuis le retour de celui-ci, la vie avait bien changé. Les hommes n'avaient presque plus besoin de chasser, l'arme des dieux suffisait à nourrir tout le monde et même les femmes et les enfants avaient droit à la viande. L'enfant noir ne mangeait que la cervelle des animaux tués. Quand il en avait trop, il donnait à Thôz le reste de sa part. Ainsi Thôz et l'enfant se partageaient le pouvoir, mais l'enfant était le vrai maître de la tribu. Quoique ayant conservé son titre de chef, le géant à la barbe blonde n'avait plus qu'un vague pouvoir exécutif. Quant au Vieux, sa mort était presque totalement oubliée.

Tandis que, repue, la tribu se livrait autour du feu à une véritable danse macabre, Thôz se rapprocha de l'enfant noir qui somnolait près de l'ours sans se soucier de la ronde gesticulante des spectres lumineux.

– Quand la tribu atteindra-t-elle la grande ville des dieux ? demanda le chef.

L'enfant noir ouvrit les yeux, il vit près de lui les grandes prunelles de Thôz luisant comme des lanternes au milieu du visage sombre sinistrement marbré de vaisseaux et de nerfs. Il répondit :

— Il y a comme jours trois fois les doigts de deux mains que la tribu a quitté les monts Bermud. Ce ruisseau doit être un fils du fleuve Huds. Si demain l'enfant noir trouve le fleuve Huds, Niourk, la grande ville, ne sera plus qu'à cinq jours de marche, si le dieu fou a dit la vérité.

Et l'enfant referma les yeux pour revoir en pensée les moindres détails de sa rencontre avec le dieu fou.

2

Après avoir vaincu les monstres, l'enfant noir conduisait les chasseurs toujours plus au nord à travers des steppes pauvres. La tribu le suivait sans murmurer, confiante en l'instinct de son guide.

Un jour, ils atteignirent les monts Bermud, aux sommets joints entre eux par des arches gigantesques, reliquat d'une civilisation disparue.

Laissant la tribu se reposer un peu, l'enfant avait effectué une petite reconnaissance dans la jungle environnante pour y chercher des traces de gibier. Il avait alors rencontré le dieu fou.

Celui-ci marchait en dodelinant de la tête et se heurtait un peu partout aux arbres et aux rocs. Il était revêtu d'un vêtement comme l'enfant n'en avait jamais vu : une souple combinaison couleur de cuivre. Il parlait sans arrêt, prononçait des paroles sans suite coupées de gémissements. L'enfant ne comprenait pas la moitié de son discours incohérent.

Quand le dieu le vit, il leva un bâton qu'il avait à la main et ricana niaisement :

– Voilà Othello, dit le dieu. Un tout petit Othello…
Je ne savais pas qu'il existait. Ha ! Mais il faut s'attendre
à tout sur cette foutue planète… Hé ! Salut, Othello !

Se croyant menacé l'enfant noir tira sur la surprenante apparition. Mais cela déclencha l'hilarité du dieu,
qui laissait la brûlante lanière lui cingler le torse sans
paraître en souffrir.

– Plus haut ! ha, ha ! Il faut tirer plus haut, noble
thane. Ne vois-tu pas que je suis protégé par mon
armure ? Vise la tête, ha ! J'ai perdu mon casque. Vise la
tête si tu veux me descendre, hé ! Un foutu service que
tu me rendras là…

Impressionné par l'apparente invulnérabilité du personnage, l'enfant s'avisa que, malgré sa taille d'adulte,
celui-ci montrait un visage imberbe, ressemblait tout à
fait aux personnages qui souriaient sur les murs de Santiag. L'enfant noir commença de croire qu'il avait affaire
à un dieu, il se jeta à genoux.

L'homme parut alors recouvrer quelque raison.

– Eh bien, petit, que fais-tu ?

– Pardonne, dieu ! implora l'enfant.

– Que dis-tu ? Tu as un drôle d'accent, petit sauvage,
mais par Sol ! il me semble que tu parles pidjin, c'est tout
de même de l'anglais. Comprends-tu ce que je dis ?

– Pas tout, grand dieu.

– Formidable ! Il est noir et il parle anglais. Le Capt 2
avait raison. Il y a encore des bonshommes sur cette
vieille Terre, hé ! Je ne savais pas qu'ils étaient noirs.
As-tu des copains comme toi, petit ?

– L'enfant noir ne comprend pas, grand dieu, dit l'enfant vautré dans la poussière. Il est l'ami des dieux, pardonne d'avoir voulu te tuer.

— Fiche-moi la paix avec tes histoires de dieux. Je te demande s'il y a d'autres hommes avec toi.

— Oui.

— Tiens, tiens !

L'homme se baissa pour ramasser l'arme de l'enfant.

— Et vous vous servez encore de ces vieilles pétoires ?

— L'enfant noir ne sait pas, il ne comprend pas.

— Par les Srrebs ! si toi, Terrien, tu ne comprends rien, ce n'est pas moi qui vais comprendre quelque chose à cette fichue planète où tout le monde est cinglé, hé !

— L'enfant noir ne comprend pas.

— Tu me fatigues, dit l'homme en tendant l'arme à l'enfant noir. Et que fais-tu avec cette antiquité ?

— Ce n'est pas ce que le dieu dit, c'est l'arme des dieux de Santiag. Les dieux l'ont donné à l'enfant noir pour tuer les monstres et pour chasser.

— Pour chasser ? Pour chasser quoi ?

— Les chiens, et puis les jaguars, et puis les lapins ou les rats quand il n'y a pas d'autres bêtes.

— Les rats, hé ? Tu chasses les rats avec cette foutue pétoire, petit ? ha, ha…

Le dieu rit, tout son corps brusquement secoué de tremblements nerveux.

— Le dieu a de la fièvre, dit l'enfant noir d'un air sagace.

Toujours tremblant, l'homme jeta à l'enfant un regard ironique.

— Ouais… fit-il lentement. J'aimerais mieux avoir la

fièvre. C'est une drôle de fièvre, crois-moi. Ça me prend chaque fois qu'on parle de… Par Sol ! As-tu fini de me regarder comme ça ! Qu'est-ce que tu fabriques à genoux dans la poussière ? Lève-toi.

L'enfant obéit. Le dieu se calma. Un frisson le secouait de temps en temps.

— Eh bien, petit, dit le dieu, si tu veux chasser, si tu veux voir beaucoup de gibier, je te conseille d'aller chasser à Niourk, c'est un vrai paradis pour les chasseurs.

— L'enfant noir ne sait pas où est Niourk.

— C'est une ville.

— Une ville de dieux ? dit l'enfant, le regard brillant d'excitation.

— C'est la plus grande ville que j'aie jamais vue sur cette planète pourrie, hé ! Et pour trouver du gibier, tu trouveras du gibier, petit !

— Le dieu veut-il conduire l'enfant noir à Niourk ?

L'homme eut un sursaut et jeta un mauvais regard.

— Hé là ! Non, petit. J'ai assez vu Niourk comme ça. Ha ! Mais tu ne peux pas te tromper, marche toujours vers le nord et remonte le fleuve Huds. Tu en as bien pour un mois et des poussières. Moi, j'ai mis trente-cinq jours pour arriver ici. Ha, ha, amuse-toi bien, petit. Bonne chance, hé !

Le dieu tourna le dos et s'enfonça dans la jungle en marmonnant des phrases incompréhensibles coupées de petits rires niais.

3

Depuis cette étrange rencontre, l'enfant noir ne pensait plus qu'à Niourk.

Il imaginait une ville immense, bien plus vaste que Santiag. Et comme l'idée de trouver du gibier dans une ville choquait sa logique primitive, il se peignait en rêve des immeubles en forme d'arbres, des buissons fleuris d'images de dieux et des rues tapissées de hautes herbes. À chaque détour, dans chaque encoignure, il devinait des meutes de chiens ou de jaguars. L'ensemble du tableau restait confus, mais stimulait l'ardeur de l'enfant.

Il menait la tribu à marches forcées, regrettait la tombée de la nuit qui retardait le voyage. Avant de s'endormir, il contemplait longuement l'horizon drapé de nuages d'or et croyait parfois deviner la silhouette attirante de Niourk.

Au matin, il était le premier debout, et secouait les chasseurs endormis. Le long cheminement recommençait, à peine coupé d'une halte vers le milieu du jour, quand le soleil était au plus haut. L'enfant sautait sur le dos de l'ours quand il était fatigué, sans se soucier de la lassitude des autres.

Enfin, ils atteignirent le fleuve Huds. L'enfant noir sentit battre son cœur dans sa gorge quand il l'aperçut. Puis il courut vers lui, les bras levés. Il déboucha sur une petite plage de vase, craquelée par l'ardeur du soleil. Il s'y enfonça jusqu'aux genoux et, ravi, contempla l'eau verte qui venait de Niourk.

Peu à peu, les chasseurs s'étaient rassemblés à quelque distance derrière lui. Tous le regardaient. Ils avaient le regard vide et confiant, attendaient que l'enfant dictât ses ordres. L'incroyable supériorité acquise par le petit noir annihilait chez les autres toute initiative. Ils lui obéissaient aveuglément, s'en remettaient à lui pour tout. La présence de l'enfant noir couvrait la tribu d'une protection totale. Même le Vieux n'avait pas eu pareil pouvoir.

L'enfant contemplait le fleuve. C'est alors qu'il éprouva en lui un bouleversement bienfaisant. Pendant une seconde, il eut l'impression que son crâne allait éclater, puis il sentit les rouages de son esprit fonctionner avec la vitesse sûre d'un mécanisme parfait. Il comprenait un tas de choses à la fois. Il voyait clairement un rapport entre la vitesse du courant et la pesanteur agissant sur toute chose : « L'eau tombe de haut en bas comme tout tombe, pensait-il, comme la pluie. Mais la pluie est formée de petites gouttes qui s'écrasent droit au sol, tandis que les dix fois, dix fois, dix fois… jusqu'au bout… de gouttes qui forment l'eau du fleuve roulent ensemble sur une pente qui vient des montagnes, qui sont trop loin pour que l'enfant noir les aperçoive, jusqu'à un lac également très loin… Ces gouttes tombent en roulant les unes sur les autres, non de haut en bas mais de gauche à droite, retenues de tomber droit par le sol légèrement, très légèrement penché de la montagne au lac... La tête de l'enfant noir fait un peu mal... oui, mais... Évidemment le sable ne coulerait pas comme ça et pourtant il est formé de tout petits grains, mais ces grains sont pointus et raclent là où l'eau glisse et puis chaque goutte d'eau est beaucoup plus petite qu'un grain de sable, et elles sont rondes, c'est pour cela qu'elles glissent, hé ?... C'est fini, l'enfant noir ne sent plus rien, c'est comme s'il avait rêvé. »

Toutes ces idées, maladroitement exprimées par un langage mental incomplet, lui avaient traversé la tête en un éclair. Depuis quelques jours déjà, il était sujet à ces crises de lucidité aiguë qui lui donnaient un sentiment de puissance exaltante. Ces pensées n'auraient rien eu d'extraordinaire chez un civilisé de son âge. Mais, dans un cerveau totalement inculte, elles marquaient un génie effrayant.

L'enfant noir attribuait ce phénomène au fait d'avoir mangé la cervelle du Vieux. Mais il se trompait. Il ignorait qu'une dose considérable de radioactivité lubrifiait (si l'on peut ainsi s'exprimer) les engrenages complexes de son esprit. Il s'était nourri pendant quinze jours exclusivement de cervelle de poulpe que les chasseurs avaient conservée pour lui en la séchant au soleil.

Un corps chimique complexe s'était, en mille ans, fixé dans la matière grise des monstres, avait fait de ces animaux stupides des êtres doués d'une certaine raison. Sur un homme, les effets en étaient ahurissants. L'enfant avait redécouvert tout seul en un mois que la Terre était ronde, que la Lune était une terre plus petite qui tournait autour d'elle. Il avait noté que les constellations gardaient toujours à peu près la même disposition mais n'avaient pas la même situation chaque nuit par rapport à une étoile fixe qu'il nommait en lui-même « l'étincelle qui ne bouge pas » et n'était autre chose que la polaire. Il utilisait cette observation pour voyager sans se tromper dans la direction choisie.

Il sentait bien que ce fatras de connaissances récentes n'était pas en ordre dans sa tête et qu'il manquait beaucoup de pièces à l'immense puzzle de la nature. Mais chaque jour lui apportait une nouvelle pièce qu'il réussissait parfois à caser à côté d'une autre, ce qui facilitait de temps en temps le rangement d'une troisième.

Ses crises de lucidité étaient de plus en plus fréquentes. L'enfant s'en réjouissait. Pendant ces accès de clairvoyance, il se sentait vivre avec une intensité grisante.

Il ignorait que ces accès étaient également les symptômes d'une maladie. Il ignorait que le feu bleuâtre transformant tous les soirs les ébats des chasseurs en danse macabre signalait la présence dans leur corps d'un poison tenace. Mais il était le seul à sentir les effets stimulants de ce poison sur son esprit, car seul il s'était nourri en forte quantité de la cervelle des monstres.

4

Ils commencèrent à remonter le long du fleuve. L'enfant noir marchait vite, poussé par l'impatience, sans voir la souffrance de certains chasseurs.

Soudain Bagh s'arrêta en hurlant, les mains crispées au ventre. Les yeux hors de la tête, il se plia en avant, s'affaissa.

L'enfant noir jeta un regard en arrière, revint sur ses pas. Il écarta le cercle apeuré des curieux et s'agenouilla près de Bagh. Celui-ci était mort. L'enfant posa sa main sur la poitrine du cadavre et recula comme s'il s'était brûlé. Une étrange activité interne animait de frémissements la chair morte. Des bulles gazeuses couraient sous la peau livide, avec un bruit d'eau qui bout.

Les chasseurs reculaient pas à pas devant ce spectacle. On vit la peau du ventre enfler, se distendre, puis les membres. Puis le visage, comme soufflé de l'intérieur, devint méconnaissable et peu à peu le cadavre, gonflé d'hélium, se redressa, se mit lentement debout comme tiré par des fils invisibles.

– Bagh est-il mort ? interrogea l'enfant d'une voix étranglée.

Le cadavre avait doublé de volume. La tête horrible et boursouflée s'inclinait en arrière, les pieds effleuraient à peine l'herbe. Peu à peu, Bagh se détacha du sol, parut flotter dans l'air, monta au-dessus des têtes, au-dessus des arbres. Comme un ballon, le macabre pantin s'éleva vers les nuages.

L'enfant noir le perdit de vue ; il se retourna vers ses compagnons : tous avaient fui. L'ours seul était resté assis sur le sol, il se léchait les pattes avec indifférence.

– Où sont les chasseurs ? appela l'enfant.

Un cri lui répondit, un cri d'agonie. Il se précipita à travers les fourrés sans se soucier des ronces qui lui déchiraient le visage et les mains au passage, arriva dans une clairière assez tôt pour voir un autre fantôme boursouflé s'élever lentement parmi les branches. Il crut reconnaître Thôz, et se sentit très seul.

Il chercha les autres plusieurs heures dans la jungle, mais sans succès. Il cacha sa figure dans la chaude fourrure de l'ours et pleura pour la première fois de sa vie.

Courageusement, l'enfant et l'ours marchèrent vers Niourk.

L'enfant chassait de son esprit douloureux toute pensée étrangère à sa résolution. Il se répétait inlassablement : « Il faut atteindre Niourk, les dieux de Niourk expliqueront tout à l'enfant noir, ils savent tout. Les dieux feront revenir la tribu et l'enfant noir sera heureux. Il faut atteindre Niourk. »

Il marcha le plus longtemps possible après la nuit tombée et s'écroula brusquement, terrassé par la fatigue. L'aurore lui réservait une surprise.

5

Le soleil du matin sur son visage l'éveilla. Il tourna la tête vers le nord et eut un choc…

Haute, sur l'horizon des montagnes lointaines, Niourk se dressait dans le ciel. De prodigieux entablements d'édifices métalliques, en forme de T ou de H géants, reflétaient la rougeur de l'aube. Une ville de cuivre en fusion dépassait des nuages, dominait de très haut la vallée du fleuve Huds.

Celui-ci naissait sous la forme d'une magnifique chute en forme de queue de cheval qui s'incurvait gracieusement au-dessus de trois cents coudées de roc abrupt, socle monumental de Niourk.

L'enfant entraîna l'ours vers l'apparition de rêve. Les dieux de Niourk devaient être de bien grands dieux pour avoir bâti une telle merveille. À mesure qu'il approchait, l'enfant s'étonnait de la hauteur et de l'élégance de lignes des constructions. La plupart des édifices, aux toits plats réunis par des ponts, offraient la forme de T ou de croix géantes : un certain nombre, hélicoïdaux, semblaient de grandes vis plantées dans les nuages.

Mais la taille de la ville la faisait paraître plus proche qu'elle n'était. Il dut marcher presque tout le jour pour atteindre la chute de l'Huds. Il renonça à l'escalade de la falaise car la nuit allait tomber bientôt. Il s'installa au pied de la montagne et s'endormit, bercé par la chanson puissante de l'eau sur les rocs.

Il s'éveilla bien avant l'aube suivante, se nourrit rapidement de viande séchée et commença l'escalade dès qu'il fit assez clair pour grimper sans danger. L'ours le suivit aveuglément sur une rampe naturelle qui menait presque à la crête de la falaise.

Il s'arrêtait de temps en temps pour souffler et contemplait sous lui les méandres du fleuve Huds se perdant à travers la jungle.

Enfin, vers le milieu du jour, il déboucha dans l'ancien port et tomba à genoux, subissant le plus grand choc esthétique de sa vie.

Au milieu du port qui n'était plus qu'un terrain vague à l'herbe grise tachée de plaques de neige et sillonné par plusieurs minces ruisseaux, au milieu de cet espace triste se dressait une immense statue de femme.

Nue et libre, sous le regard mort de centaines d'immeubles géants paraissant monter la garde autour d'elle, cette femme superbe, un bras au ciel, brandissait un miroir conçu pour refléter le soleil à toute heure de la journée. L'enfant en fut ébloui et s'effondra en avant en murmurant « la déesse ».

Il revivait en quelque sorte les émotions de son premier contact avec Santiag, la terreur sacrée en moins. Quant à l'ours, il flairait l'atmosphère avec inquiétude.

L'enfant s'avança respectueusement vers la statue colossale.

– Que la déesse ramène la tribu autour de l'enfant noir, cria-t-il. L'enfant noir se sent seul.

Pataugeant pieds nus dans la boue neigeuse, il arriva jusqu'au socle et grimpa jusqu'aux pieds de la statue. Il toucha du doigt un orteil dix fois gros comme lui et resta songeur : l'orteil était fendu et la fente laissait croître un jeune pin rabougri. D'autres détails dissipèrent de son esprit les brumes d'une enfance bourrée de superstitions.

Vu de près, le pied de la déesse ne ressemblait à rien, c'était un bloc de pierre, tout simplement, avec de petites traces de mica scintillant. Or, l'enfant ressentit avec clarté que la pierre n'avait rien de divin en soi. Une pierre ne bouge pas, ne vit pas. On s'en sert pour tuer à l'aide d'une fronde. L'enfant noir se sentait supérieur à tous les cailloux du monde. Or, cela était une très grosse pierre en forme de femme.

L'enfant leva les yeux. Gêné par la proximité de la statue, il redescendit du socle et recula assez loin dans la boue du port pour avoir une vue d'ensemble.

Il admira la grande femme. Son allure, la noblesse de son attitude lui procuraient une sensation agréable qu'il manquait d'adjectifs pour qualifier. Mais l'enfant savait maintenant qu'il n'avait en face de lui qu'une image inanimée, et non une déesse. Un fugitif souvenir traversa sa cervelle : les affiches mobiles des dieux de Santiag. Le cas de ces images-là était plus troublant pour l'enfant, mais une certitude lui affirmait rétrospectivement que ces visages bariolés ne recelaient pas plus de vie que la statue. Il méprisa un peu l'être crédule qu'il était encore quelques semaines auparavant.

Soudain, quelque chose attira son attention. En regardant bien la statue, on pouvait distinguer les lignes parallèles qui la marquaient horizontalement. L'enfant comprit que la femme était constituée par la superposition de blocs en forme de jambes, de cuisses, de torse… et que chaque bloc avait été taillé intentionnellement.

Il se représenta en esprit des pans de roc vierge et vit nettement la masse inutile qu'il avait fallu éliminer pour créer des formes. Une légère douleur à la nuque l'avertit qu'une crise de lucidité arrivait. L'image d'un bâton brillant mordant d'un jet de feu la pierre dure traversa son esprit.

Son intelligence s'emballa : « … Oui, on peut jeter un gros morceau de rocher par terre et le briser, et il se peut qu'un morceau ressemble un peu à une tête d'homme ou à un jaguar sans pattes. Quelquefois, l'enfant noir a vu des rochers qui avaient l'air d'ours ou de poulpes. Et puis, en s'approchant, l'enfant a vu que c'était impossible. Mais on peut avec un bâton brillant enlever ce qu'il faut de pierre pour faire cela avec ce qui reste en forme de femme. Un homme ou un dieu, ou même un monstre a fait cette femme, a voulu faire cette femme exprès… L'enfant noir peut aussi. »

Exalté par sa découverte, l'enfant braqua l'arme des dieux sur un rocher dépassant de la boue. Il appuya doucement sur la poignée, un fil ténu de flammes découpa la pierre, forma une tête ronde, deux bras étendus, un torse, des jambes grossières.

Ravi, l'enfant contempla son œuvre. Des débris de roc calciné fumaient autour de l'idole imparfaite. Toutefois, le premier moment de joie passé, il s'avisa qu'il manquait beaucoup de choses à la rudimentaire statue pour la rendre parfaite. Il reprit son travail et s'appliqua à forer deux trous pour les yeux, un autre pour la bouche. Ce dernier fignolage gâcha tout. Il régla mal l'arrivée des flammes et décapita proprement son ouvrage.

Il recommença patiemment sur un autre rocher, puis sur un autre encore. Il passa des heures à jouer seul aux pieds de la déesse, au milieu du vaste port. Puis il considéra pensivement la statue colossale.

« La déesse n'est pas vraie, pensa-t-il. Elle est en pierre. Mais où sont les dieux qui l'ont fabriquée ? Ces dieux sont beaucoup plus forts que l'enfant noir. »

6

Il sortit alors de sa frénésie créatrice et regarda autour de lui. Le sentiment de sa solitude l'assaillit, il eut peur. Il s'aperçut qu'il avait froid et faim. Les paroles du dieu fou sonnaient encore dans sa mémoire : « Niourk est un vrai paradis pour les chasseurs. » Où était donc le gibier ?

Il appela l'ours et se dirigea vers l'immeuble immense et monobloc qui tenait toute la façade d'une ancienne presqu'île (une presqu'île autrefois nommée Manhattan). Il mit du temps à l'atteindre, car le port était très étendu.

Il escalada enfin quelques rocs et toucha la glissante falaise de métal élevant au-dessus de lui un à-pic de cinquante coudées. Plus haut s'ouvraient des fenêtres, s'accrochaient des balcons-terrasses. L'enfant fit péniblement le tour de cette masse en se demandant comment on entrait dans Niourk.

À plusieurs reprises, il trouva des couloirs étroits où il aurait pu se glisser à plat ventre, mais il répugnait à abandonner son ours au-dehors. Il découvrit enfin un plan incliné qui montait en pente douce à l'intérieur de l'édifice et s'y engagea.

Ses pas le menèrent au milieu d'une vaste salle ronde autour de laquelle s'alignaient des monstres métalliques. Leur forme rappelait celle des requins. L'enfant pensa sans s'émouvoir que les dieux de Niourk avaient taillé de grands poissons bizarres par fantaisie, tout comme ils avaient sculpté la déesse de pierre.

Il monta sur une espèce de débarcadère faisant le tour de la salle et s'approcha d'un couloir sombre qui s'illumina à son approche. L'enfant cligna des yeux. Il ne s'effraya pas outre mesure car il avait déjà pris contact avec d'étranges phénomènes lors de sa visite à Santiag.

Le couloir s'enfonçait en ligne droite au cœur de la ville sur une centaine de mètres, puis il se scindait en deux embranchements plus petits à l'entrée desquels s'inscrivaient des signes lumineux que l'enfant ne pouvait comprendre. L'enfant s'avança, suivi de l'ours.

Comme il atteignait une ligne blanche barrant le sol en travers, il s'étonna de ne plus pouvoir faire un pas en avant. Une voix anonyme lui parla en phrases hachées, mécaniques :

– Vous êtes contagieux : radioactivité trop forte ! Vous n'avez pas le droit d'entrer dans Niourk avant de vous faire soigner... Je vous rappelle que l'entrée des animaux particuliers est interdite... Votre carte d'identité n'est pas en règle pour l'entrée à Niourk, le contrôle électronique de l'entrée n'a rien enregistré. Blocage sanitaire, plus deux contraventions... Restez où vous êtes, la garde va venir vous chercher pour les formalités d'usage.

– Où est le dieu qui parle ? demanda l'enfant.

Sa question resta sans réponse.

– L'enfant noir n'a pas compris ce qu'a dit le dieu invisible. Le dieu invisible est-il fou, comme celui que l'enfant noir a rencontré aux monts Bermud ?

Un roulement métallique se fit entendre. L'enfant tourna la tête en arrière, et vit arriver sur lui deux êtres étranges, à la silhouette vaguement humanoïde, et montés sur roues.

Les deux choses encadrèrent l'enfant. Celui-ci se sentit poussé en avant et se laissa faire. L'ours grogna un peu, puis suivit le trio sans s'émouvoir.

– Où les hommes de fer emmènent-ils l'enfant ? demanda le prisonnier.

Les gardes restèrent muets. L'enfant formula une autre question.

– Le dieu fou a dit à l'enfant qu'il trouverait du gibier à Niourk, l'enfant noir a faim et l'ours aussi. Où se trouve le gibier ?

Sans répondre, les robots le poussèrent dans une petite pièce avec l'animal et se retirèrent en refermant hermétiquement la porte.

Une autre porte, ouverte celle-ci, faisait face à la première sur la cloison opposée. L'enfant s'en approchait quand la voix métallique le cloua sur place.

– Répondez à mes questions… Avez-vous une… arte d'identité ?

– Qui parle ? L'enfant noir ne comprend pas.

– Répondez par oui ou par non. Avez-vous une…
arte d'identité ?

– Non.

– Où l'avez-vous perdue ?

– L'enfant n'a rien perdu. Si, il a perdu Thôz et la tribu
près du fleuve Huds…

– Votre cas paraît très spécial… Vous… examiné
par… sanitaire. Votre animal sera dirigé… fourrière.

– L'enfant noir ne comprend pas.

L'enfant se mit à trembler de toutes ses forces. Quoiqu'il ne s'étonnât de rien de la part des dieux, toutes ces
impressions, nouvelles pour lui, ébranlaient son moral.
Il souffrait surtout de ne savoir à qui attribuer cette voix
monotone et inhumaine.

Il ignorait que la ville était déserte, que les hommes
l'avaient abandonnée depuis des siècles. Il ignorait
que, par endroits, des dispositifs compliqués ayant servi
autrefois étaient restés presque en bon état de marche,
tel le contrôle de l'entrée à Niourk.

Mais aucune vie n'animait les machines de triage qui
avaient détecté sa présence, fait intervenir les robots et
posé des questions. Son arrivée avait seulement déclen-
ché certains mécanismes qui n'avaient plus aucune utilité depuis le départ des hommes.

La ville morte était truffée de circuits qui fonction-
naient encore plus ou moins et constituaient autant de
pièges et d'embûches pour un visiteur non averti.

Toutefois, la pile qui alimentait la machine de triage
avait donné ses dernières ressources en capturant l'en-

fant noir. Le courant était épuisé. La voix nasillarde ne se ferait plus entendre et les deux robots, figés au garde-à-vous derrière la porte close, étaient devenus aussi inoffensifs que des armures du Moyen Âge.

Mais l'enfant l'ignorait. Il resta longtemps immobile et tremblant dans l'obscurité car la lumière avait clignoté deux ou trois fois, avant de s'éteindre définitivement.

Au bout d'un certain temps, l'enfant entendit l'ours grogner de faim à ses côtés. Il le calma d'une caresse et, tiré de sa stupeur effrayée, se décida à faire quelque chose. Il prit son arme et appuya légèrement sur la poignée, de façon à produire une flamme suffisante pour voir où poser ses pas.

Il passa la porte ouverte et suivit un couloir en jetant un regard rapide dans toutes les pièces qu'il dépassait. Il n'y vit rien qui l'intéressât.

Le couloir s'incurvait légèrement vers la gauche et se terminait en cul-de-sac. L'enfant revint sur ses pas, considéra la porte que les robots avaient fermée et n'osa manifester sa présence. Il revint au fond du couloir et dirigea son arme contre la cloison. Les flammes sifflèrent, découpant rapidement une ouverture dans un mur d'un mètre d'épaisseur.

L'enfant passa, suivi de l'ours, et sauta sur un plan incliné qui se perdait en colimaçon vers les hauteurs de la ville.

À peine eut-il touché le sol que celui-ci se mit en mouvement, l'entraînant à toute vitesse vers le palier supérieur. Cramponné à quatre pattes, l'enfant entendit derrière lui le saut et les hurlements de frayeur de l'ours. Ils aboutirent pêle-mêle à l'étage du dessus. L'escalator redevint immobile. L'ours allongea démesurément son gros cou pour le flairer avec prudence.

L'enfant regarda autour de lui et avisa une porte double étrangement décorée de coquillages, de poissons, de volailles et de choses bizarres qu'il ne sut pas reconnaître. Passant sa langue sur ses lèvres, il toucha du doigt un poisson. La porte s'ouvrit d'elle-même. Quand l'enfant noir entra, une voix se fit entendre.

— Soyez les bienvenus, veuillez vous donner la peine de déposer vos armes au vestiaire. Bon appétit.

L'enfant comprit vaguement deux mots : « pose », « armes ». Quant au mot « appétit », il lui rappela vaguement quelque chose. Le Vieux avait un jour prononcé ce mot à propos de nourriture.

L'enfant posa son arme sur le sol et attendit. Au bout d'un moment, il la reprit et s'avança. Il passa devant une petite lampe bleue qu'il n'avait pas remarquée et se sentit bloqué par une force invisible. La voix reprit :

— Vous n'avez pas le droit d'entrer avec une arme, veuillez déposer la vôtre au vestiaire.

L'enfant comprit le sens général de la phrase. Il rangea son arme le long du mur et avança sans difficulté. Des pensées embrouillées tournoyaient dans sa tête. Il était question de manger ; la porte montrait des poissons et des volailles. C'était certainement le gibier annoncé par le dieu fou. Mais comment pourrait-il attraper ce gibier sans arme ?

Néanmoins, il continua. Devant lui s'ouvrit une

grande salle où le jour entrait à flots par de vastes baies. De nombreuses tables s'alignaient le long des baies ; d'autres, séparées les unes des autres par des plantes artificielles, étaient moins éclairées. L'enfant regarda vers les plantes :

— Choisissez votre place, dit la voix : ces tables-ci sont plus intimes.

L'enfant tourna son regard vers le jour :

— Choisissez votre place. Celles-ci sont plus ensoleillées, articula la voix.

Penaud et embarrassé, l'enfant noir ouvrait de grands yeux. Il parla :

— L'enfant noir a très faim, dit-il d'un ton suppliant. Où est le gibier ?

— Vous passerez votre commande quand vous serez assis.

L'enfant comprit les derniers mots de la phrase et s'assit timidement à l'ombre d'un rideau de plantes. Une voix indifférente et plus proche lui demanda :

— Que voulez-vous manger ?

— Des poissons ! dit l'enfant.

La table bourdonna un moment, une trappe s'ouvrit avec un déclic : un plat fumant apparut, portant un large poisson comme l'enfant n'en avait jamais vu. De chaque côté du plat étaient placées de petites armes brillantes. L'une d'elles avait quatre pointes aiguës. L'enfant s'en saisit et assena un coup rapide aux ouïes du poisson. Il pensait que les dieux mettaient à sa disposition de quoi tuer la bête. Puis il s'étonna en constatant que le poisson était déjà mort, et même cuit. Il empoigna à deux mains son repas et mordit dans la chair délicieuse. L'ours s'approcha en grondant de faim.

— Encore un poisson pour l'ours, dit l'enfant, la bouche pleine.

Un nouveau plat apparut. L'ours mangea goulûment, les griffes agrippées au plat.

— Encore un poisson, encore un poisson, encore un poisson ! dit l'enfant.

Trois plats identiques surgirent sur la table. Alors l'enfant s'accroupit sur le sol et se mit à bâfrer côte à côte avec l'ours, souillant le tapis de taches de graisse.

Il dut à regret s'arrêter de manger avant d'avoir terminé le premier plat. Repu, il s'essuya la bouche d'un revers de main et laissa l'ours engloutir le reste du repas. Jamais il n'avait vu de poissons si gros et si bons.

La gourmandise le poussant, il mordit à nouveau dans une tête écailleuse négligée par l'ours. Mais ses dents n'entamèrent pas la masse élastique. L'enfant ignorait que la chair fondante était entièrement synthétique. Il ignorait que la tête et la grande arête centrale avaient été moulées en plastique, uniquement à titre d'accessoires de présentation, simple raffinement de civilisés cherchant à imiter la nourriture naturelle.

L'enfant demanda de l'eau et but coup sur coup deux grands verres. Puis il s'allongea sur le sol et caressa la moquette du bout des doigts.

« Les dieux, pensa-t-il, ont fait pousser de l'herbe dans leurs tentes. »

Une herbe miraculeuse, douce et unie comme la fourrure d'une bête.

— Les dieux qui ont nourri l'enfant noir et l'ours sont gentils, dit l'enfant à haute voix. Mais l'autre dieu invisible qui parle à l'entrée de la ville est méchant. Les hommes de fer sont méchants aussi.

Aucune voix ne répondit. L'enfant se vautra sur la moquette. Les yeux mi-clos, il lécha une goutte de sauce sur son avant-bras. Il était bien, il avait chaud et se sentait l'estomac plein. Il s'endormit sans changer de position.

Quatrième partie

1

Quelque part dans l'immense dédale du bloc Manhattan, deux hommes se penchaient sur un petit appareil surmonté d'une antenne. L'un d'eux orienta cette antenne vers le sol. Ils attendirent un instant. L'autre rompit le silence :

– Vous avez sans doute rêvé, Ing 3.

– Je ne suis pas déréglé, Capt 4. La lampe a fonctionné tout à l'heure, par deux fois ! Et maintenant : plus rien !

– Ça ne signifie pas grand-chose dans cette maudite ville où tout fonctionne de travers. Mille choses différentes ont pu influencer cette lampe.

– Allons, Capt 4, ne raisonnez pas comme un sous-cultivé. Vous savez très bien que ce détecteur ne peut être influencé que par des ondes humaines. Il y a des jours que nous tournons en rond dans cette ville, mais c'est la première fois que l'appareil donne signe de vie Je vous dis que c'est le Doc ; nous l'avons retrouvé !

– Hum !

– Comment ?

– En admettant que l'appareil ait normalement détecté une présence humaine, nous savons seulement que le Doc se trouve dans cette direction à environ… Combien disiez-vous ?

– Mille huit cents fixs de distance.

– Eh bien ?

– Eh bien, je veux dire que même si vous savez qu'un virus se trouve exactement à un fix quatre-vingts centi-fixs dans une direction donnée au milieu d'une meule de fibre théoriquement aseptique, il y a quand même quatre-vingt-dix-neuf chances sur cent pour que vous ne puissiez mettre la main dessus, même avec un micro-détecteur.

– Mais…

– Réfléchissez, Ing 3. Moi aussi, j'aime bien le Doc, mais cette ville est folle. Elle me fait penser à cette attraction foraine d'autrefois que l'on appelait la maison des fous. Vous savez : on passe une porte rouge qui s'ouvre sur une terrasse, on suit un couloir qui tourne et on se retrouve devant une porte bleue donnant sur un escalier. Et cette porte est la même que la porte rouge de tout à l'heure, et la terrasse s'est pliée en escalier conduisant à l'étage supérieur. Et si l'on se risque à monter les marches, on n'est pas sûr de pouvoir redescendre car l'escalier se change brusquement en couloir menant à une porte verte. Telle est cette ville, Ing 3. Songez qu'hier soir nous nous sommes endormis dans cette pièce, et…

Son doigt se tendit vers la baie vitrée dominant le port désert. Il désigna la statue de femme qu'avait tant admirée l'enfant noir.

– Nous étions exactement à la hauteur du miroir de cette statue primitive. Et, ce matin, nous la dominons d'au moins cent fixs. Ou l'immeuble a grandi pendant la nuit, ou bien il existe un système de roulement quelconque qui change les étages de place pour une raison que j'ignore.

« Même si le Doc se trouvait à portée de voix d'ici, je ne chercherais pas à le joindre, je chercherais à sortir. Quand on se trouve perdu dans une monstruosité pareille, il n'y a qu'un moyen de s'en tirer : se donner tous rendez-vous dehors.

Il s'approcha de la vitre et la martela du poing.

– Et dire qu'il n'y a pas moyen de briser ça. Si c'était possible, je crois que je prendrais le risque de sauter d'ici dans ce tas de neige que je vois en bas. En cas de malheur, j'aurais au moins la satisfaction de mourir hors de ce piège à rats.

– Vous auriez certainement cette satisfaction-là, croyez-moi. Nous sommes bien à trois cents fixs du sol, ici.

Le Capt 4 se retourna d'un bloc vers son compagnon. Son visage était rouge de colère sous le pansement blanc qui lui serrait la tête.

– Votre ironie m'irrite, Ing 3. Veuillez faire silence et me laisser réfléchir.

L'Ing 3 sourit largement.

– Vous n'êtes pas en état de réfléchir.

Le Capt 4 affecta un calme olympien pour masquer son irritation.

– Ing 3 ! Depuis quelques jours, déjà, je discerne chez

vous des signes d'insubordination. Il me semble qu'aujourd'hui vous passez la mesure. Prenez garde qu'au retour je ne vous fasse rétrograder.

— Vous n'êtes qu'un capitaine quatre et je suis ingénieur trois, j'ai l'impression que l'insubordination n'est pas de mon côté, puisque vous tenez à aborder le sujet.

— Les militaires ont toujours le pas sur les techniciens, vous le savez fort bien.

— Quand il est question de se battre, certes, mais pas dans notre situation. Il s'agit seulement de résoudre des problèmes techniques pour arriver à sortir de cette ville où vous avez tenu à pénétrer sans matériel suffisant, malgré mes conseils...

S'interrompant brusquement, l'Ing 3 leva la main d'un geste apaisant.

— Excusez-moi, Capt 4, continua-t-il, je crois que nous nous conduisons comme des sous-cultivés.

Le Capt 4 rougit violemment.

— Vous avez raison, dit-il, la perte de la nef, la mort de l'équipage, ma blessure à la tête et maintenant cette aventure incroyable, tout cela m'a complètement déréglé. Je crains de vous avoir dit des choses désagréables.

— Moi aussi, Capt 4. Mais nous n'étions pas nous-mêmes.

— Ne m'appelez plus Capt 4. Mon grade ne signifie plus rien pour l'instant. Dans le civil, mon nom est Jax. Le vôtre est Brig, je crois ?

L'Ing 3 tendit la main.

— Exact. Je vous soupçonne fortement d'avoir jeté un regard sur la liste de l'équipage, dit-il en riant.

2

L'ours endormi fit un mouvement qui éveilla l'enfant noir. Il se mit brusquement debout, effrayé de se trouver dans un endroit inconnu. L'aube colorait les baies et jetait sur le sol des ombres baroques aux contours précis. Les souvenirs revinrent à l'enfant. Suivi de l'ours, il sortit dans le couloir pour reprendre son arme.

Il poussa timidement la porte décorée de motifs alimentaires et se risqua sur le palier. Il considéra avec appréhension le tapis roulant. Enfin, poussé par la curiosité, il osa sauter dessus à pieds joints et revécut les émotions ascensionnelles de la veille.

Une fois parvenu à l'étage supérieur, il appela l'ours à sa suite. Mais celui-ci, méfiant, se contenta de s'asseoir. L'enfant voulut descendre le chercher, mais fut rejeté en arrière à chaque tentative par l'escalator qui se mettait en marche au moindre contact. Avisant la rampe parallèle au tapis, il l'enjamba et se laissa glisser en bas.

Puis il chercha à convaincre l'ours de l'accompagner, mais celui-ci ne voulut rien savoir. Répugnant à se séparer de l'animal, l'enfant fit contre mauvaise fortune bon cœur et passa l'une des dix portes s'ouvrant sur le palier.

Un long couloir aux murs luminescents le conduisit à un carrefour en étoile. Il s'engagea sur la gauche et monta pendant de longues minutes un plan incliné en colimaçon. Une voix lui éclata brusquement aux oreilles.

– Nous vous rappelons qu'il est interdit de pénétrer ici sans une carte de technicien. Rebroussez chemin, s'il vous plaît.

La voix avait les mêmes intonations froides que celle qui avait accueilli l'enfant aux autres portes de la ville. Effrayé, celui-ci revint en arrière.

Il se perdit dans les entrailles de la cité, erra pendant des heures, voyant beaucoup d'objets sans signification pour lui. Il aboutit dans une vaste salle entièrement tapissée d'affiches dont les lèvres souriantes prononçaient de muets slogans, comme les dieux de Santiag.

L'enfant sourit devant ce rappel rassurant de son passé. Il s'étonna d'avoir eu peur en voyant ces affiches pour la première fois. L'une d'elles représentait une jeune et jolie femme s'apprêtant à mordre dans une banane. L'enfant s'approcha. À mesure qu'il avançait, la femme clignait de l'œil droit de temps en temps, tandis que ses lèvres articulaient : « Mangez des bananes ! »

L'enfant recula et s'avança de nouveau lentement vers l'affiche en surveillant la bouche mobile de la femme. Il comprit ce qu'elle disait et sourit de contentement. Puis son attention fut attirée par des signes étranges au bas de l'affiche. Des signes qu'il avait déjà remarqués sur les murs de Santiag. Une vague impression de correspondance entre les mots prononcés par l'image et les signes mystérieux l'effleura. Les signes avaient cet aspect :

MAGE DE BANAN

L'enfant sentit venir une crise de lucidité, son cerveau se mettait douloureusement en marche, accélérait son rythme, développait des idées à toute vitesse...

« La femme a dit trois paroles. Mangez... des... bananes... Il y a trois petits tas de signes au bas de l'image et... L'enfant a mal à la tête, mais il va savoir... quelque chose... Trois paroles, trois tas de signes. La première parole fait deux bruits : man-gez. Le premier tas a quatre signes... L'enfant a mal... Man-gez : deux bruits, quatre signes. Deux signes pour un bruit... ça montre que c'est vrai, que l'enfant noir va savoir... Trois paroles : une grande, une petite, une grande. Trois signes : un grand, un petit, un grand. C'est tout pareil aux paroles, peut-être sauf que les paroles sont des bruits mais qu'on ne peut entendre les signes. Peut-être que les signes MA veulent dire MAN, les signes GE : GEZ... DE... BA... NAN. Oui, oui, c'est vrai. Le signe N est le bruit qu'on fait avec sa langue sur les dents et on le voit deux fois, comme dans banane. Et puis le signe A est le bruit qu'on fait la bouche ouverte, comme ça : ah, ah... comme dans banane aussi. Et le signe M c'est pour les lèvres et... l'enfant noir sait, maintenant, il sait... »

Des gouttes de sueur lui coulaient sur le visage, son regard fou balaya les autres affiches, s'accrocha à l'une d'elles reproduisant certains caractères qu'il venait de comprendre et représentant un arbre. Il vit les signes ARBR, lutta contre son ignorance lourde, épela AB.

– Arbre ! cria-t-il au comble de la joie, en comprenant que le signe R correspondait au bruit d'un raclement de gorge, ce bruit qui revenait deux fois dans le mot « arbre ».

Il s'assit sur le sol, pris de vertige, et se tint la tête à deux mains, s'efforçant de ne plus penser pour ne plus souffrir. Plus calme au bout d'un moment, il entreprit de déchiffrer les affiches une à une.

Les hommes qui, des siècles auparavant, avaient imposé l'orthographe phonétique sur tout le territoire d'Usa, avaient rendu un immense service à l'enfant noir.

3

L'Ing 3 poussa un léger cri de joie. Le Capt 4 lui posa la main sur l'épaule.

— Cette fois, je crois que nous le tenons, dit-il. Mais comme je vous le disais hier, ça ne nous avance pas à grand-chose, je crois que c'est une satisfaction purement morale.

La lampe du détecteur clignotait à toute vitesse. Soudain, elle jaunit, ralentit son rythme, redevint noire.

— Il a changé de place, dit le Capt 4.

L'Ing 3 était pâle.

— Non, Jax, dit-il. Le compas est débloqué, voyez ! Et il n'a pas bougé.

— Mais comment… ?

— Exactement comme hier ! Il n'y a qu'une raison pour que l'appareil se conduise ainsi. Il faut regarder les choses en face.

— Radactivité supérieure à 17 ?

— Oui, il a dû s'intoxiquer. Où est-il donc allé se fourrer ?

La mine de Jax était grave.

— J'espère qu'il s'en est aperçu, dit-il lentement. Peut-être a-t-il encore le temps de se soigner. Il est médecin après tout.

— Se soigner avec quoi ? gémit Brig. Sa science lui est parfaitement inutile sans matériel.

— Parlez-lui ! dit Jax.

— Mais sa cellule est détruite, il n'a pas communiqué avec nous depuis que nous l'avons perdu.

— Il y a peut-être une chance pour qu'elle fonctionne encore réceptivement sans pouvoir émettre, comme la mienne, dit Jax en caressant de la main son crâne bandé.

— Dans ce cas, il a toujours été le muet témoin de nos propos. Il est inutile que je lui adresse la parole.

— Comprenez quel bien moral ça lui fera si vous vous adressez directement à lui !

— Vous avez raison, Jax.

Brig dirigea instinctivement son regard dans la direction indiquée par le détecteur.

— Doc 1, dit-il à haute voix, vous avez entendu ce que j'ai dit au Capt 4. Vous êtes probablement radactif au-dessus de 17. N'essayez pas de sortir de Niourk. Le plus pressé pour vous est de trouver un service sanitaire pour vous soigner.

Il s'épongea le front.

— Fasse la chance que vous m'entendiez, Doc 1 ! ajouta-t-il d'une voix plus sourde.

4

Épuisé par ses efforts de lecture, l'enfant noir s'était endormi à même le sol dans la salle bariolée d'affiches. Au bout d'une bonne heure de sommeil, il s'étira et se leva. Il contempla les affiches avec un sourire de triomphe. Il les avait toutes lues, sans toujours comprendre, il est vrai. Des mots comme « rasoir », « synthétique » ou « citoyen » ne signifiaient rien pour lui.

Mieux armé par sa science récente, il continua son interminable et passionnante exploration. Il parcourut un couloir sombre et dut actionner légèrement son arme pour y voir à peu près clair. Un lumineux squelette d'enfant et un squelette d'ours se suivirent en silence vers l'extrémité du couloir. Ils se heurtèrent à une porte close au-dessus de laquelle l'enfant déchiffra les mots « cœur de niourk, interdit aux non-techniciens ». Il ne comprit pas le sens de l'inscription et se demanda comment Niourk pouvait avoir un cœur.

Il se trouva devant des monstres bizarres, dont les gros yeux de verre montraient des signes isolés : A, X, Z... et d'autres signes incompréhensibles qui étaient des chiffres. Ces monstres étaient en métal et avaient de nombreuses pattes étranges ressemblant à la poignée de l'arme des dieux.

« Ces monstres ne sont pas vrais, pensa l'enfant. Ils ont été taillés dans le fer comme la déesse l'a été dans la pierre. » Il posa sa main sur l'œil d'un monstre et appuya ; l'œil s'enfonça avec un déclic. L'enfant recula, effrayé, tandis que les cornes du monstre se mettaient à tourner à toute vitesse sur elles-mêmes en produisant de fortes étincelles bleues. Le monstre émit un gémissement continu qui monta jusqu'à un aigu insoutenable. L'enfant s'enfuit à l'autre extrémité de la pièce en se bouchant les oreilles.

— Le monstre est vrai, dit-il. Comme les hommes de fer de la porte.

Il sortit de la salle en courant et fut stoppé dans son élan par un mur invisible. Les portes de la petite pièce où il se trouvait claquèrent derrière lui comme celles d'un piège. Une voix parla :

— Techniciens, attention ! Dans une minute, désinfection automatique. Respirez le plus lentement possible.

L'enfant secoua les portes sans réussir à les ébranler. Un sifflement se fit entendre, un nuage rose envahit la pièce. L'enfant et l'ours toussèrent à perdre haleine. Le supplice dura cinq bonnes minutes. Le gaz disparut, aspiré quelque part, et les portes se rouvrirent d'elles-mêmes.

L'enfant et l'animal s'enfuirent par le couloir sombre. La luminosité de leur squelette avait diminué de moitié.

Essoufflés, ils s'arrêtèrent quand le bourdonnement de la machine se perdit dans le lointain, sans soupçonner que cette aventure leur avait été bienfaisante, mais qu'il aurait fallu la renouveler une bonne centaine de fois pour arriver à guérir leur sournoise maladie. D'ailleurs, l'enfant n'avait jamais établi de rapport entre la fin tragique de Thôz et de la tribu et l'inquiétante phosphorescence.

Il était dommage pour lui que les contrôles du couloir obscur aient été hors d'usage, car des robots l'auraient obligé à retourner dans la salle de désinfection jusqu'à guérison totale. Il est vrai que si les contrôles avaient fonctionné, il lui aurait été impossible de pénétrer dans la salle des machines.

Néanmoins, la chance lui accordant un sursis, son agonie était reculée de quelques heures.

« Il y a des dieux cachés partout, pensait l'enfant. Ceux qui ont donné à manger à l'enfant noir sont gentils. Tous les autres sont méchants. Mais pourquoi ne les voit-on pas ? »

La réconfortante lumière du jour l'attira sur la droite. Il déboucha dans une vaste avenue couverte. À travers le plafond vitré en ogive, le ciel paraissait d'un bleu insoutenable. Le soleil entretenait dans l'avenue une température de serre chaude. Des plantes d'une hauteur incroyable bordaient la chaussée de métal. Certains arbres montaient jusqu'à la voûte et leurs troncs tordus rampaient le long de la paroi transparente qu'ils n'avaient pu crever. Par endroits, l'épaisseur des feuillages était telle qu'il ne filtrait plus qu'un

jour verdâtre. Ravi, l'enfant se crut dans une forêt. Mais la chaleur paraissait incommoder l'ours.

Continuant leur marche, ils parvinrent à un carrefour orné d'un immense bassin. Regardant autour d'eux, ils virent cinq avenues semblables à la première converger vers cet endroit. L'enfant ne résista pas au plaisir de se baigner et piqua une tête dans l'eau tiède du bassin. Il s'ébattit pendant dix minutes avant de remarquer une grande abondance de poissons rouges. Sortant de l'eau, il en balaya la surface d'un jet de flammes avec l'arme des dieux. Ce fut un jeu de capturer les poissons morts qui flottaient le ventre en l'air.

L'ours se montra satisfait de l'initiative de son maître. Assis l'un à côté de l'autre, ils dévorèrent crue leur pêche inespérée. La cueillette de fruits inconnus pendant aux branches compléta leur repas. L'enfant quitta à regret l'immense jardin. Mais la curiosité fut la plus forte. Elle le poussait toujours à explorer plus avant cette ville surprenante et gigantesque qui réservait une surprise nouvelle à chaque détour.

Après quelques minutes de promenade, il arriva devant un portique où étincelait en lettres lumineuses l'inscription : FACULTÉ DE MÉDECINE. L'enfant lut sans difficulté mais ne comprit absolument rien. Il franchit le portique en se demandant si ces mots signifiaient quelque chose de bon ou de mauvais pour lui.

Il traversa plusieurs salles immenses et bourrées de sièges, vit beaucoup de machines étranges auxquelles il n'osa toucher et poussa une porte donnant sur une chambre obscure. Stupéfait, il resta cloué sur le seuil. Alignée dans un ordre impeccable, sa tribu était devant lui, immobile.

Dans l'obscurité, on distinguait nettement la luminescence des nerfs, des vaisseaux et du squelette de chaque individu.

– L'enfant noir a retrouvé la tribu, dit-il d'une voix sourde. La tribu a été très malade de la maladie qui gonfle. Elle est montée en l'air, très haut. Mais l'enfant est monté aussi jusqu'à Niourk et a retrouvé la tribu. Mais qui est Thôz ? Où est Bagh ? L'enfant ne les reconnaît pas bien. Pourquoi les chasseurs ont-ils coupé leur barbe et leurs cheveux ?

Il s'approcha de l'une de ces statues transparentes et lui toucha la main. Celle-ci était dure et glacée. Il crut reconnaître Thôz.

– Pourquoi les chasseurs ne parlent-ils pas ? Thôz est-il mort ? Il est froid comme le Vieux à Santiag.

Il posa son oreille sur la poitrine de plastique et secoua la tête avec tristesse.

– Thôz est mort !

Il parcourut des yeux l'étrange alignement et distingua aux pieds de chaque personnage une petite pancarte.

– RÉZO LIFATIC, lut-il sous la première statue. Non ce n'est pas Thôz, c'est Rézo lifatic, l'enfant ne le connaît pas. Ce n'est pas sa tribu, mais elle lui ressemble. Elle a mangé aussi la chair des monstres. Elle brille du feu des monstres.

Il déchiffra un à un les noms étranges de la tribu

inconnue : réseau lymphatique, appareil circulatoire, système nerveux. Celui qui le frappa le plus était très compliqué et pratiquement impossible à retenir : système musculaire d'un torse humain. L'individu affligé de ce nom horrible était figé dans un déhanchement torturé et avait les quatre membres coupés.

L'enfant, mal à l'aise, s'empressa de s'éloigner vers des lieux plus sympathiques. Il avisa une porte indiquant : VIVISECTION III – ANIMAUX DE LABORATOIRE. Il sauta de joie. Le mot « laboratoire » ne lui disait rien, mais « animaux » l'intéressait beaucoup.

– Le dieu fou a dit la vérité. « Niourk est une ville pour les chasseurs », a dit le dieu fou. Voilà où est le gibier de Niourk !

Il entra. Une odeur puissante lui piqua les narines. L'arme braquée, l'œil aux aguets, il traversa plusieurs salles désertes. L'ours donnait des signes d'inquiétude. Il reniflait le sol et grommelait avec mauvaise humeur.

L'enfant se heurta enfin à une porte close. Derrière cette porte on entendait des cris aigus et intermittents, puis de minuscules trottinements. L'enfant poussa lentement la porte. L'odeur devint insupportable. Un carré de lumière plus vive se découpa sur le sol et là, nullement effarouché, un petit être étrange fixait l'enfant.

L'animal ressemblait beaucoup à un rat, mais certaines particularités l'en différenciaient pourtant. Son museau s'effilait en une trompe minuscule et sa longue queue annelée se terminait en fourche.

– Sauve-toi, rat ! dit l'enfant. L'enfant noir cherche du gibier. Les rats ne sont pas très bons à manger.

L'enfant s'avança vers la bestiole. Celle-ci lui céda la place lentement, comme à regret, et poussa un cri stri- dent. Une dizaine de rongeurs, sortant de cages éven- trées, accoururent à cet appel. Puis une vingtaine d'autres apparurent, sortant de sous les meubles, descen- dant le long des murs, arrivant par des trous d'aération.

En quelques secondes, la pièce en fut pleine. L'enfant ressentit une vive douleur à la jambe. Il poussa un cri et se baissa pour arracher la bestiole qui le mordait cruelle- ment, mais déjà trois autres rats plantaient leurs petites dents aiguës dans sa chair. Il recula et fit cracher l'arme des dieux. Les petits cadavres se recroquevillaient dans les flammes. Mais l'ardeur des survivants ne diminuait pas pour autant. Une véritable marée de petites four- rures grises avançait vers l'enfant. L'ours se roulait sur le sol en poussant des hurlements de colère et fauchait ses ennemis par vingtaines. L'enfant tirait devant lui tout en reculant vers la porte. L'ours secoua rageusement sa grosse fourrure et s'enfuit.

– Ours ! cria l'enfant. Attends !

Puis il courut sur les traces de son compagnon. Ils grimpèrent côte à côte un escalier. Arrivés au palier supérieur, ils s'arrêtèrent pour souffler un peu. L'enfant se pencha sur la rampe, il vit onduler sur les marches le flot montant des rongeurs. L'air frémissait du bruit de milliers de petites pattes griffues.

5

L'Ing 3 compta les pastilles qu'il avait dans une petite boîte.

— Plus que onze, dit-il. Même en diminuant les rations de moitié, nous tiendrons seulement cinq jours.

Le Capt 4 fit la moue.

— Je me demande comment mangeaient ces gens-là, dit-il. Depuis le temps que nous tournons en rond, nous n'avons pas rencontré une seule fois un distributeur ou une station métabolique. Qu'allons-nous faire, Brig ?

— La même chose ! Luttons jusqu'au bout. Au fond, je suis content de ne pas avoir vu de fenêtre depuis des heures. Regarder dehors, sentir le but derrière une vitre incassable me paraît un vrai supplice de Tantale. Sortir de là, bon sang, sortir ! J'en ai assez de me nourrir de pastilles. Si je vous disais que c'est la première fois de ma vie que j'en use !

— Moi pas ! J'en ai eu besoin, il y a dix ans. Je me suis perdu pendant treize jours dans le désert d'Edom.

— Vous êtes allé sur Mars ?

—Eh oui ! J'y ai passé de sales moments. Mais j'y ai moins souffert de la soif qu'ici.

—Vous aussi, vous vous sentez déshydraté, hein ? Je crois que ces pastilles sont mal dosées.

—Non, elles sont trop vieilles. J'ai la gorge râpeuse. Je voudrais bien retrouver ce labo où il y avait une conduite d'eau percée.

—Si nous y étions restés, nous ne serions plus là pour en parler, vous aviez déjà de l'eau jusqu'au menton.

—J'en suis à un point où la mort par immersion me paraîtrait douce. Depuis que…

Brig interrompit son compagnon.

—Jax ! cria-t-il.

—Qu'avez-vous ?

Brig prit le Capt 4 par les épaules ; il ouvrait des yeux stupéfaits.

—Allons, mon cher, remettez-vous. Vous êtes tout pâle. Qu'est-ce qui vous arrive ?

Brig éclata de rire.

—Une idée ! Je viens d'avoir une idée.

—Et ça vous fait un tel effet ! Seriez-vous sous-cultivé ?

—Je ne plaisante pas, Jax. Vous avez parlé de cette conduite d'eau. Cela m'a fait penser aux conduites d'air.

—Je ne vois pas.

—Réfléchissez. Ces conduites d'air mènent certaine-ment au-dehors. Où voulez-vous qu'ils le prennent, cet air ?

—Mais dans le synthétiseur d'atmosph… Par Sol ! jura le Capt 4.

—Je vois que vous y êtes, mon vieux. Que voulez-vous qu'ils fassent d'un synthétiseur ici ? Nous sommes sur la Terre, bon sang, pas sur Vénus ! Ils prennent l'air dehors, tout simplement.

Jax montra du doigt une bouche d'aération.

– Voilà la porte de sortie, dit-il. Nous n'avons qu'à suivre la conduite jusqu'à en rencontrer une autre d'une section suffisante pour nous y glisser. Ensuite, descendons toujours le plus bas possible.

Les deux hommes se précipitèrent dans la pièce voisine, les yeux au plafond.

– Où est… ?

– Là, mon vieux, je le vois : le tuyau vert !

Ils coururent jusqu'au couloir sans quitter le tuyau du regard.

– Je ne le vois plus, dit Jax.

– Les militaires n'ont aucune notion d'architecture. Attendez. Ce mur est bien épais… Là, nous avons un autre tuyau vert, ce n'est pas le même. Tenez, ils convergent tous vers cette cloison. Montons à l'étage supérieur, nous allons sûrement trouver une conduite plus importante.

Dans sa hâte, Brig posa le pied sur un rouleau qui apparaissait à travers le tapis roulant hors d'usage, il tomba en avant, jura, et rattrapa Jax en boitillant.

Le Capt 4 s'affairait déjà à arracher la grille qui obstruait une manche à air. La grille était peu solide. Il en jeta les débris derrière lui et passa la tête à l'intérieur de la manche.

– Il fait un noir d'ivresse spatiale, là-dedans. Votre lampe fonctionne toujours, Brig ?

Brig lui tendit sa lampe.

— Ça va marcher, dit Jax. Ça fait à peu près soixante-quinze centifixs de large. Voulez-vous passer devant ?

— Non, je crois qu'il vaut mieux que vous commenciez. Je me suis tordu le pied, j'ai peur de vous retarder.

— Vous êtes déréglé, mon vieux. Soit, je passe le premier, mais vous n'imaginez pas que je vais vous laisser tomber, tout de même ?

Jax s'engagea dans le puits lisse et vertical, la lampe de Brig entre les dents. Brig attendit qu'il ait descendu quelques mètres et le suivit.

La descente était facile. Ils se laissèrent glisser, freinant leur chute en appuyant leurs genoux et leur dos à la cloison circulaire. Tout alla bien pendant une centaine de mètres. Puis Jax s'enhardit et se laissa filer plus vite. Brig vit s'amenuiser la petite lueur de sa lampe. Il relâcha sa pression pour rattraper son camarade et l'atteignit brutalement avant de pouvoir freiner.

Il entendit sous lui un cri étouffé et vit disparaître le Capt 4 à une vitesse vertigineuse. Affolé, il se laissa tomber à sa suite le plus rapidement possible et arriva une deuxième fois sur lui avec plus de vitesse qu'il n'aurait voulu. La lampe s'était éteinte. Il sentit sous ses pieds le corps de Jax.

— Ça va, Jax ? demanda-t-il en inclinant la tête autant que le lui permettait l'étroitesse du conduit.

Le Capt 4 ne répondit pas.

— Jax ! appela Brig.

Inquiet, il tâtonna de sa main libre et sentit la tête de Jax inondée d'un liquide poisseux. Il appela encore, affolé. Son pied blessé le faisait souffrir, il dut se reposer en appuyant l'autre semelle sur l'épaule de Jax. Avec des contorsions pénibles, il réussit à retrouver sa lampe qui reposait sur la poitrine de l'autre. Par bonheur, elle fonctionnait. Il alluma et s'aperçut que le Capt 4 avait la moitié du corps engagée dans une courbure horizontale du conduit, ce qui expliquait qu'il ne soit pas tombé plus bas. Son pansement était rouge de sang.

Brig posa doucement un doigt sur le cou de Jax. Il sentit les pulsations et respira, soulagé. Il avait craint le pire. Au bout d'un moment, il entendit Jax murmurer quelque chose.

— Ça va mieux, Jax ?

— Oui… Quel coup ! Je…

— Vous avez mal ?

— Qu'est-ce que… ? Oui, j'ai mal.

— Pas trop ?

Jax soupira bruyamment, sa voix devint claire.

— Ça va mieux… J'ai dû recevoir votre talon sur le crâne, n'est-ce pas ?

— Je suis désolé, Jax.

— C'est ma faute, j'ai voulu aller trop vite. Ça va presque bien maintenant. Je souffle encore un peu et nous allons ramper sur le dos jusqu'à je ne sais où. Le conduit fait un coude à l'horizontale. Passez-moi la lampe, s'il vous plaît.

— Voulez-vous que je passe devant ?

— Nous n'aurions pas assez de place pour nous croiser, mais ne vous inquiétez pas, tout va bien.

Ils progressèrent lentement pendant une dizaine de minutes et atteignirent un second coude.

– Ce n'est pas à proprement parler un coude, dit Jax après avoir promené sa lampe devant lui. Nous débouchons dans un conduit plus large.

– Combien ?

– Oh… Je dirais : un fix vingt-cinq.

– Par Sol, ce sera moins facile.

– Allons-y prudemment.

Jax avança lentement ses jambes dans le conduit. Il tâtonna du pied et parut brusquement disparaître.

– Jax ! s'inquiéta Brig.

– Ça va. J'ai coincé mon pied dans une ouverture secondaire un peu plus bas. Vous pouvez suivre. Ce n'est plus une glissoire, maintenant, c'est une échelle. Au fond, je préfère ça.

Jax ne disait pas tout à fait la vérité. En fait, ils durent se laisser glisser d'étage en étage, profitant des conduits secondaires desservant chaque palier pour se reposer. Par prudence, ils restaient toujours à un étage d'écart l'un de l'autre. Au bout d'une bonne demi-heure de cette épuisante acrobatie, Jax donna des signes de lassitude.

– J'aimerais bien m'allonger quelque temps dans un conduit secondaire, dit-il.

Brig, dont la cheville enflait, s'empressa d'acquiescer. Ils se retrouvèrent dans un tube plus étroit et se reposèrent en silence. Au bout d'un moment, Jax leva légèrement la tête.

– Vous n'entendez rien ? demanda-t-il.

– Non.

– Écoutez bien !

Brig tendit l'oreille. Effectivement, quelque chose faisait du bruit. On aurait dit de petits cris pointus. Puis des grognements.

Les deux hommes s'avancèrent vers l'orifice opposé du conduit, ils remontèrent un peu à la verticale après avoir passé un coude. Ils arrivèrent derrière une grille qui les séparait d'une vaste salle.

Jax réprima un cri de stupéfaction. Des milliers de rats grouillaient derrière la grille. Puis une vive lueur balaya la foule des rongeurs, deux ombres passèrent à toute vitesse dans le champ de vision réduit, une porte claqua violemment.

Les rats remarquèrent vite la présence des deux hommes, plusieurs grimpèrent le long de la grille, mordant le métal de leurs petites dents rageuses.

– Des rats ? s'étonna Brig.

– Oui, ou du moins quelque chose d'approchant. Une race de mutants, peut-être. Regardez leurs queues.

– L'endroit est malsain, dit Brig. Si nous partions ?

Ils revinrent au gros conduit tout en échangeant leurs impressions.

– J'ai vu un pied nu et noir, affirmait Jax.

– Un pied d'homme ?

– Parfaitement, et une espèce d'animal velu. Et puis des flammes.

– Je n'y comprends rien.

– Nous n'avons pas besoin de comprendre. Contentons-nous de sortir d'ici. Je ne me vois pas servant de déjeuner à ces affamés. La grille semble pouvoir les arrêter, heureusement.

La descente interminable recommença. Enfin le conduit fit un coude et ils purent avancer à quatre pattes. Ils arrivèrent bientôt au bord d'un véritable précipice. Le conduit débouchait dans un vaste puits d'aération de trois mètres de large, percé tous les trois mètres d'une couronne d'orifices secondaires. Jax se pencha avec circonspection au-dessus du vide. La lueur de sa lampe se perdait dans les profondeurs.

— Cette fois, je ne sais pas ce que nous allons faire, dit Brig.

— Moi, je sais, dit Jax. Je vais me pendre par les mains et vous allez vous laisser glisser le long de ma combinaison jusqu'à l'orifice inférieur. Vous essaierez de vous caler solidement pour supporter mon poids quand je vais tout lâcher. Après ce sera votre tour.

— Nous allons nous casser les reins, gémit Brig.

— J'aime mieux ça que mourir de soif dans ce labyrinthe.

Jax se laissa pendre dans le vide. Son compagnon lui posa les mains sur les épaules, accrocha la pointe de son soulier dans la ceinture de Jax et, étreignant celui-ci à bras-le-corps, se laissa doucement glisser plus bas.

— Dépêchez-vous, dit Jax. Mes doigts faiblissent.

Brig serra les dents, se cala les jambes dans l'orifice inférieur et, les bras levés, serra solidement les genoux de Jax.

— Lâchez, dit-il.

Jax obéit. Muscles tendus, Brig essaya désespérément

de se cambrer pour éviter la chute, mais sa cheville blessée le trahit, ses genoux fléchirent. Il eut l'impression que le corps de Jax passait devant lui avec une lenteur terrifiante, resserra désespérément sa prise et fut entraîné par le poids du Capt 4.

Ils tombèrent. Jax poussa un cri terrifiant. La chute parut longue, longue... Et soudain un souffle d'une violence inouïe les fit remonter à toute vitesse comme des mouches dans le tuyau d'un aspirateur. Tournoyant, membres épars, ils furent poussés dans les hauteurs du puits et prirent rudement contact avec une surface dure cinq cents mètres plus haut.

Collés au plafond comme des insectes, assourdis par une tempête de sifflements rauques, ils mirent du temps à retrouver leurs esprits. Enfin, Jax sentit la main de l'Ing 3 serrer la sienne et se laissa entraîner de côté, glissant avec peine le long du plafond contre lequel il était plaqué par le vent.

– Quand le ventilateur ralentira, hurla Brig dans son oreille, nous nous laisserons tomber en douceur jusqu'à lui. Nous pourrons peut-être passer entre les pales.

6

L'enfant noir courait. Précédé de son ours, il fermait derrière lui le plus de portes possible. Ils arrivèrent dans une pièce entièrement constituée par un dôme transparent. L'enfant se laissa aller sur le sol et haleta pendant un long moment, tandis que l'ours faisait le tour de leur refuge en cherchant à crever la paroi transparente à coups de pattes. L'animal réussit seulement à se faire mal et finit par s'allonger avec mauvaise humeur auprès de son maître.

Quand celui-ci fut plus calme, il regarda autour de lui et réprima un cri d'étonnement. Il s'approcha du dôme et, tournant les yeux vers le sol, crut d'abord qu'une grande quantité de neige avait recouvert les parties basses de Niourk. Au bout d'un moment, il comprit qu'il ne voyait pas le sol mais une mer de nuages d'une blancheur éblouissante, crevée çà et là par d'immenses buildings en forme de S, de L renversés ou de T majuscules. Au-dessus, le ciel était d'un bleu profond, presque noir.

L'enfant resta des heures à contempler ce spectacle. Il fut tiré de sa rêverie par l'ours qui gémissait de plus en plus en tournant d'un air inquiet. L'enfant voulut lui caresser la tête, mais l'ours recula en montrant les dents ; puis il se roula à terre en hurlant et, soudain, il eut deux ou trois spasmes et ne bougea plus.

– Ours ! ours ! cria l'enfant au comble du désespoir.

Il enfouit sa tête en pleurant dans la fourrure tiède et sentit quelque chose bouger contre son visage. Il releva sa figure mouillée de larmes.

– L'ours n'est pas mort ? demanda-t-il au cadavre.

Et soudain, il comprit. Il vit onduler la fourrure de la bête, entendit un bruit d'eau qui bout. Les yeux exorbités, il vit l'ours enfler, enfler… Le ventre d'abord, puis les membres. En quelques minutes, la bête morte doubla, tripla de volume, tandis que ses articulations claquaient avec des bruits secs.

L'ours, gros ballon de fourrure hirsute, s'éleva de dix centimètres et rebondit deux ou trois fois sur le sol. La force ascensionnelle des gaz ne suffisait pas tout à fait à vaincre le poids de la bête.

– L'ours est mort ! cria encore l'enfant noir en se griffant la figure.

Puis il resta prostré dans un coin pendant des heures, les yeux secs, une bizarre douleur dans la poitrine.

Un grattement à peine perceptible le tira de sa torpeur. Cela venait de la pièce voisine. Il se leva et dressé sur la pointe des pieds regarda de l'autre côté de la porte par un hublot minuscule. Il aperçut deux rats en train de jouer et se rendit compte qu'il haïssait ces animaux comme jamais aucun autre adversaire. Il n'avait pas haï le jaguar, son premier vaincu, ni les grands poulpes… Il haïssait surtout le nombre des rats, surtout depuis qu'il n'avait plus l'ours comme auxiliaire pour se défendre.

Il résolut de fuir et, la retraite lui étant coupée à l'intérieur de la ville, frappa d'un jet de feu le dôme transparent. Il passa par l'ouverture ainsi pratiquée et commença de périlleuses gymnastiques, progressant de saillies en corniches sur les toits vertigineux de Niourk.

7

— Le vent diminue ! hurla Jax.

Il éclaira son visage et, par signes, fit comprendre à Brig qu'il était temps de se confier à la chance. Ils se laissèrent aller dans l'effrayant courant d'air et descendirent légèrement, puis remontèrent par secousses, redescendirent encore, comme des balles de ping-pong sur un jet d'eau faiblissant. Par moments, ils tombaient en chute libre pendant cinquante mètres avant d'être freinés par le vent.

— Nous allons nous tuer ! cria Brig.

Il ignorait si son camarade l'entendait. Ballotté dans le remous, plongé dans une obscurité totale, il vivait un véritable cauchemar. Le vent le plaqua un moment contre l'orifice d'un conduit secondaire. L'instinct de conservation fut le plus fort. Brig s'accrocha au conduit, s'introduisit à quelques mètres à l'intérieur et attendit.

Peu à peu la force du vent diminua, le ronronnement venu des profondeurs s'éteignit. Brig resta un moment hébété, les oreilles brûlantes. Il lui sembla que le silence l'assourdissait. Enfin, il passa la tête dans le puits principal.

– Jax ! appela-t-il, les yeux écarquillés dans le noir.

La voix qui lui répondit n'était pas celle du Capt 4. Monocorde et impersonnelle, elle résonnait comme dans une cathédrale :

– Les ouvriers chargés de la vérification des joints doivent régler leurs cadrans. Au coup de gong, il sera exactement seize heures… Dong !… Au coup de gong, il était exactement seize heures. Réglez vos cadrans, s'il vous plaît. Veillez à vous trouver près des orifices de sortie dans une heure exactement. Il faut qu'à dix-sept heures, le travail soit terminé et les ouvriers évacués. La soufflerie se remettra en marche à dix-sept heures cinq minutes.

Et, brusquement, tout le réseau d'aération fut illuminé. La lumière paraissait sourdre des parois elles-mêmes. Brig cligna des yeux et regarda en bas. Il n'était qu'à une trentaine de mètres au-dessus du ventilateur. Il appela son camarade à tue-tête sans recevoir de réponse. Lorsque ses yeux furent habitués à la vive lumière, il comprit : Jax gisait inerte sur les pales de l'hélice.

Brig vit son compagnon pencher légèrement sa tête sur le côté et eut un frisson d'espoir. Vite déçu. Ce mouvement était produit par une barre métallique qui, sortant lentement de la cloison, écartait du mur le visage de Jax.

Une deuxième barre brillante sortit du mur au-dessus de la première, puis une troisième, puis, de plus en plus vite, les échelons parurent se multiplier. Sortant les uns après les autres, ils strièrent le puits d'aération sur toute sa hauteur et leur succession se perdit en l'air avec un bruit de fermeture Éclair géante.

Brig profita de l'échelle ainsi formée pour descendre jusqu'au Capt 4. Celui-ci était mort. La main de l'Ing 3, se posant avec une tristesse affectueuse sur la tête pansée de Jax, éveilla un bruit d'os broyés sous les linges humides.

Il fallait sortir de là. Brig entreprit de se glisser entre deux pales. Il passa ses jambes dans l'intervalle, força un peu, ne put passer les genoux. Il essaya d'écarter, de tordre le métal, mais ses efforts furent vains.

Affolé, il regarda autour de lui et s'aperçut que l'une des pales était légèrement bosselée par un choc, sans doute le choc même qui avait causé la mort du Capt 4. En adressant mentalement un hommage à la mémoire du mort qui le sauvait peut-être, Brig réussit péniblement à se glisser jusqu'à la ceinture sous la pale déformée, mais pas plus loin.

Il essaya de ressortir et ne réussit pas malgré tous ses efforts. Pris au piège, il se mit à pleurer comme un enfant, d'épuisement et de frayeur. Il venait de perdre un bon quart d'heure et l'hélice se remettrait en marche dans une quarantaine de minutes.

Avec l'énergie du désespoir, il déchira sa combinaison spatiale, des mains et des dents. Il réussit à mettre son torse à nu, son torse ruisselant d'angoisse, dans sa course contre la montre.

Enfin, il réussit à descendre d'une dizaine de centimètres. Les minutes passaient. Il expira fortement pour dégonfler ses poumons et gagna encore un peu de

terrain... Il recommença : le métal lui pelait cruellement les côtes.

– Dong ! dix-sept heures. Les ouvriers sont avisés
qu'ils n'ont plus que cinq minutes pour évacuer le
réseau. Cet avis ne sera pas répété.

Brig lutta de toutes ses forces. En esprit, il voyait déjà
l'hélice le hacher. La seconde épaule et la tête ne vou-
laient pas passer. Tout son corps pendant sous le ventilateur, tout son poids était retenu par l'os de sa pom-
mette cisaillée par le bord de la pale. Il n'avait plus
aucune notion du temps, il sentait seulement les
secondes passer vite, trop vite. Il rua dans le vide, ache-
vant à grandes secousses de se déchirer la joue. Enfin,
il tomba et se reçut en gémissant sur les mains et les
genoux.

Il leva les yeux vers les pales et les vit se mettre lentement en route. Il bondit et courut le plus vite possible vers la grille qui fermait l'entrée d'un couloir
d'une cinquantaine de mètres de long.

Le mouvement de la soufflerie s'accentua. Un vent
violent contraria ses efforts, le contraignit à progresser
courbé en deux. Enfin, il atteignit la grille et la tira de
toutes ses forces, s'aidant de la puissance du souffle qui
l'aspirait vers l'intérieur de la ville. La force du vent
devint telle que Brig, les mains serrant la grille, flottait
à l'horizontale, comme un drapeau.

À grands efforts, il réussit à lancer une jambe entre les
barreaux de la grille. Puis l'autre jambe. Accroché par
les quatre membres, il resta ainsi peut-être une demi-
heure dans le courant d'air glacé venant du dehors.

Quand le ventilateur s'arrêta, Brig s'étendit sur le sol. Sa poitrine lui faisait mal à chaque inspiration. Il se sentait à demi mort de fatigue et de froid. Enfin, il se mit péniblement debout et trébucha, s'affalant sur la grille qui s'ouvrit toute seule. Il tomba dans un tas de neige dix mètres plus bas et s'évanouit, ayant usé ses forces à essayer d'ouvrir la grille dans le mauvais sens.

8

Le Doc 1 gravissait les derniers mètres de la falaise sur laquelle se perchait Niourk. Un dernier effort sur la rampe rocheuse le conduisit au sommet. Le vaste port désert s'étendit devant lui. Hiératique, la colossale femme de pierre dressait toujours un bras vers le ciel. Son miroir reflétait les dernières lueurs du couchant. Les ombres longues des immeubles géants s'étalaient sur le sol.

Le Doc 1 pataugea sur les bords du fleuve Huds qui sillonnait de ses bras multiples l'herbe grise et les plaques de neige. L'homme traversa le port en biais, obliqua vers l'est, laissa le bloc Manhattan à sa gauche et s'engagea dans l'immense tunnel où coulait autrefois l'East River.

Il avança à pas prudents, se guidant sur la faible lueur du jour qui pénétrait par l'autre extrémité du tunnel. Des éboulis de rochers s'écroulaient sous ses pieds. S'appuyant d'une main à la paroi, il avait un recul chaque fois qu'une chose rampante et froide le touchait. Des clapotements, de fugitives lueurs et des relents de moisissure assaillaient ses sens en alerte. De temps en temps, un cri semblable à un râle répondait à d'autres cris, devant ou derrière lui, répétés à l'infini par des échos de cathédrale.

Enfin, il retrouva le jour, parcourut cinq cents mètres et vit l'astronef. Celui-ci avait l'aspect d'un œuf monumental agrémenté d'un enchevêtrement de poutrelles métalliques dressées vers le ciel. En l'apercevant, le Doc secoua la tête avec pitié.

— Une aragne les pattes en l'air, murmura-t-il. Oui, il ressemble tout à fait à une aragne morte. Et il est bien mort, lui aussi. Oh ! cria-t-il, Capt 4, êtes-vous là ?

Il courut en trébuchant sur les rocs. En approchant de l'appareil, on pouvait voir qu'il était endommagé. Des morceaux de poutrelles cassées gisaient autour de lui.

— Hé ! cria le Doc. Personne n'est là ?

Il escalada les berges de l'ancienne East River et grimpa au milieu des poutrelles. Il s'introduisit dans l'œuf géant par une déchirure de la coque.

Dans l'ombre, ses pieds foulèrent des débris de toute sorte. Il tâtonna le long des cloisons et toucha quelque chose, provoquant un déclic.

— Pas de lumière ici, remarqua-t-il.

Il avança péniblement sur un plancher tellement oblique qu'il devait poser alternativement son pied droit sur la cloison et son pied gauche sur le sol. Il heurta quelque chose du front et jura à voix basse. Ses mains explorèrent les environs et reconnurent les contours d'une porte ronde. Il chercha la poignée un moment sans succès avant de ricaner.

— Suis-je déréglé !

La poignée se trouvait en haut à gauche et non en bas à droite, puisque la nef était à l'envers, puisque le plancher n'était que l'ancien plafond de ce couloir sombre. Il se hissa sur la pointe des pieds et finit par poser la main où il fallait. La porte s'ouvrit sur une salle éclairée d'une lumière bleuâtre.

– Enfin ! dit le Doc, je me retrouve chez moi, j'en avais assez de vivre dans la lumière jaune de cet affreux petit soleil tiède.

Il traversa la salle de pilotage, jonchée de débris d'instruments de mesure brisés et d'écrans-hublots pour toujours opaques, et s'engagea à la force du poignet dans un couloir ascendant muni d'une barre d'appui.

– Je n'aurais jamais pensé que cet endroit serait si incommode sans gravitation, bougonna le Doc entre ses dents.

Débouchant dans un espace circulaire où des couchettes démolies s'entassaient les unes sur les autres, il appela :

– Capt 4, Ing 3 ! Où sont-ils donc ?

Il poussa une autre porte et gémit en voyant l'état lamentable de son laboratoire personnel. Il dut entasser des objets les uns sur les autres pour passer dans la pièce voisine dont l'accès se trouvait au plafond. Passant sa tête par la trappe, ses yeux rencontrèrent un autre regard. Un homme était allongé sur le sol, sanglant, le visage luisant de sueur.

– Est-ce… Mais c'est vous, Ing 3 ?

Le Doc sauta près du malade et lui prit le poignet. Il eut un geste d'impatience en jetant un regard autour de lui.

—Pas le moindre instrument ! Que vous est-il arrivé, Ing 3 ? Vous ne pouvez pas parler ? Vous m'entendez ? Vous avez trop traîné dans cette neige, vous… avez-vous froid ? Non ?

L'Ing 3 acquiesça de la tête.

—Ne bougez pas, dit le Doc.

Il redescendit et pataugea dans les débris, cherchant quelque chose. Il mit enfin la main sur une boîte allongée et remonta près de Brig. Il ouvrit la boîte, dénuda la poitrine de Brig et lui planta d'un geste vif une étrange ampoule effilée entre deux côtes.

—Si j'étais arrivé quelques heures plus tard, dit-il, je n'aurais rien pu faire pour vous.

9

Le lendemain, Brig sortit d'une étrange somnolence. Une forte lumière lui fit mal aux yeux. Quand il voulut se redresser, la poigne solide du Doc le maintint dans sa position allongée.

— Restez là encore un petit quart d'heure, Ing 3. Vous êtes sous la lampe ultra-K ; j'ai réussi à la réparer.

Brig porta la main à son visage. Il sentit sur sa joue une pellicule douce comme de la soie.

— Ça vous cuit un peu ? demanda le Doc.

— Vous m'avez pansé ?

— Je vous ai soigné avec un dévouement admirable, ironisa le praticien. Où est passé le Capt 4 ?

— Mort, dit Brig. Déchiqueté par l'un des ventilateurs qui renouvellent l'air respirable de Niourk... Mais vous, Doc 1 ?

Cette fois, Brig se redressa sans tenir compte de l'opposition du médecin.

— Vous êtes radactif au-dessus de 17, Doc 1 ! Vite, il faut vous soigner.

Le Doc pâlit un peu, puis sourit lentement.

— Vous êtes déréglé, Ing 3. Qui vous a mis cette idée dans la tête ?

— C'était, attendez… C'était avant-hier… Le détecteur vous repérait, clignotait avant de s'éteindre aussitôt…

— Comment, mais où ça ?

— À Niourk. Doc 1, soignez-vous…

— Attendez, mon cher, dit le Doc en levant la main. Pas si vite ! Avant-hier, je n'étais pas à Niourk, je cheminais péniblement en pleine jungle.

— Mais alors ?

— Alors, vous avez tout simplement détecté quelqu'un d'autre.

— Mais il n'y a personne dans cette ville, sauf des rats mutants et… Vous m'y faites penser maintenant. Le Capt 4 a vu passer un homme ; il n'a vu que son pied, à vrai dire, un pied humain. Nous étions coincés derrière une grille nous empêchant d'en voir davantage.

— Racontez-moi tout ça !

Brig n'omit rien des pénibles semaines qu'il avait passées dans les entrailles de Niourk. Il raconta la mort de son compagnon, les difficultés qu'il avait eues à éviter le même sort.

— Je me suis traîné jusqu'ici, termina-t-il, je voulais me soigner. Ne me demandez pas comment je suis arrivé dans votre labo, je n'ai que des souvenirs confus. Je me rappelle seulement avoir escaladé des tas d…

— Et tout ça parce que vous me cherchiez, coupa le médecin. J'ai la mort du Capt 4 sur la conscience.

— Vous auriez agi comme nous, Doc 1. Ne dites pas de bêtises. Comment vous êtes-vous égaré en pleine jungle ?

— Moi aussi, je n'ai que des souvenirs confus. Dans le bloc Manhattan, j'ai été attaqué par les rats dont vous parliez tout à l'heure. C'était horrible ; ils m'ont suivi tout un jour. Je n'ai pu dormir pendant je ne sais combien de temps. Je me rappelle être sorti de Niourk en hurlant, par un égout donnant sur le port. J'ai marché au hasard dans la nature, me nourrissant de tablettes. Il y a un mois, je me suis retrouvé dans un buisson sans pouvoir me souvenir de rien depuis Niourk. J'ai retrouvé la ville grâce à mon sens de l'orientation.

Il expliqua qu'il avait d'abord marché vers l'est jusqu'à buter sur les hauteurs d'Usa, puis était remonté vers le nord tout en suivant les anciens rivages de l'océan.

— Et nous voilà réunis, mais sans le Capt 4. Il était un peu irascible, mais c'était un brave Capt, n'est-ce pas ?

— Comme tous ceux que nous avons enfermés à la morgue, dit Brig en désignant une porte de la main, c'étaient tous de braves compagnons. Seul y manque Capt. Mais j'avoue qu'il serait fou d'aller chercher ses restes sans avoir tenté d'arrêter le conditionnement d'air du bloc Manhattan.

— Vous pouvez vous rhabiller, Ing 3, dit le Doc. Vous êtes guéri, maintenant. Croyez-vous qu'il fasse jour, dehors ?

Brig s'approcha d'un écran-hublot qui fonctionnait encore. Il pressa un bouton. L'écran montra la cime de quelques sapins et, derrière, le profil altier des immeubles de Niourk se découpant sur un ciel bleu pâle.

— Il fait presque jour, constata le Doc. J'ai passé la nuit debout. Je suis fatigué.

— Regardez, Doc 1, dit l'Ing 3.

Le médecin rejoignit l'ingénieur devant le hublot.

— Qu'est-ce là ?

— Je ne sais pas. Une espèce d'animal.

— Un animal grimpeur qui descend le long de cet immeuble... Il passe dans l'ombre du bâtiment voisin. Je ne le vois plus.

— Tenez, le revoilà, il marche sur ce toit métallique, à gauche de cette rangée de fenêtres !

— Où ça ? Ah oui, je vois. Mais... mais c'est un homme, ma parole ! Venez, mon vieux. Il faut voir ça de plus près.

Les deux hommes sortirent de la nef et cherchèrent la petite silhouette sombre. Mais, pendant qu'ils s'extirpaient laborieusement de l'épave, la chose avait changé de place. Ils fouillèrent du regard les surfaces géométriques des imposants bâtiments de plastique dont les multiples fenêtres reflétaient la rougeur de l'aube.

— Par les Srrebs ! jura Brig en tendant le doigt, le voilà. C'est bien un homme, il est suspendu par les mains à cette corniche. Il va se rompre les os.

— Il tombe ! Venez vite !

Le Doc entraîna Brig dans le lit de l'East River, ils progressèrent le plus vite possible en trébuchant sur les rocs et s'approchèrent du point de chute de l'être mystérieux. Celui-ci avait roulé au flanc d'un monticule de

neige amassé par une fantaisie du vent, il avait glissé au fond d'un entonnoir assez sombre.

— Je le vois, dit le Doc en descendant au fond du trou. Heureusement, la neige a amorti la chute.

Il culbuta presque sur l'enfant noir et resta assis à côté de lui, une expression de peur sur le visage. L'enfant noir ouvrit les yeux.

— Le dieu fou ! dit-il d'une voix faible en reconnaissant le Doc.

— N'approchez pas, Ing 3 ! cria le médecin. Il est radactif au maximum.

Dans l'ombre, les prunelles de l'enfant ressemblaient à des lampes. On distinguait les lumineux détails de son anatomie interne à travers sa peau.

Cinquième partie

1

Des jours passèrent, des jours de souffrance pour l'enfant noir. Il vécut six semaines dans un enfer d'hallucinations, il rêva qu'il était mâché par le bec des monstres, il rêva que les rats le dévoraient vivant. Il se crut poursuivi pendant des nuits entières par les meutes de chiens sauvages, tandis que la tribu se moquait de lui en le lapidant.

Il sentit véritablement dans sa chair les blessures des monstres, la morsure des rats et des chiens, le choc des pierres aiguës.

Quand il émergeait dans une demi-conscience, une lumière atroce lui brûlait les yeux, des voix déformées vrillaient ses tympans. Il ébauchait des gestes de fuite et, gémissant, se sentait trop faible pour les accomplir.

Un jour, le Doc put annoncer:

— Je crois qu'il est sauvé.

— Un beau spécimen pour le vivarium de la cité, dit Brig. Cela va démolir les théories de Stef sur l'inexistence des races colorées aux temps prévénusiens.

— Ce qui surprend le plus, dit le Doc, c'est qu'il est sexué. Cela a quelque chose d'horrible, ce détail animal sur une silhouette humaine, c'est monstrueux.

– C'est assez écœurant, en effet. Vous croyez vraiment qu'il est né d'une mère, comme une bête ?

– Sans aucun doute. C'est un homme naturel, absolument naturel. J'ai hâte de le voir tout à fait rétabli pour juger du degré de son intelligence.

– Il s'est rendormi, voyez !

– Laissons-le tranquille. Je crois qu'il pourra s'alimenter normalement à partir de demain. Il est jeune, les forces lui reviendront vite. Faisons comme lui, allons dormir.

L'enfant entendit la voix des dieux s'éloigner ; une porte claqua. Il ouvrit lentement un œil. Pour la première fois depuis longtemps il put le faire sans souffrir. Aucune lumière violente ne blessait sa rétine. Au contraire, juste au-dessus de lui, un plafond vert pâle diffusait un jour d'une douceur délicieuse.

– L'enfant noir a fait comme s'il dormait, dit-il à voix basse. Les dieux ont cru que l'enfant noir dormait.

Depuis trois jours déjà, les yeux clos, il guettait les paroles des dieux. Sans comprendre exactement leurs propos, il y discernait à la fois quelque chose de bienveillant et d'hostile, ou plutôt une espèce d'affection méprisante. D'où sa méfiance.

Un profond soupir d'aise souleva sa poitrine. Il regarda avec intérêt son sang monter dans une grosse boîte, par un tube transparent, puis redescendre par un autre tube. Les dieux appelaient cette boîte « organisme annexe » ou encore plus simplement « annexe ».

L'enfant jeta les yeux sur son bras droit. Le premier tube était fixé au pli du coude par une espèce de ventouse. Le deuxième tube s'attachait de la même façon au creux de son genou gauche. Entre ses paupières mi-closes il avait déjà vu le dieu nommé Doc 1 retirer les tubes. Sans hésiter, l'enfant tira légèrement sur les ventouses qui se détachèrent avec un bruit sec. Il examina son bras, sa jambe. Aucune blessure n'était visible.

L'enfant se redressa et quitta sa couche confortable. Il regarda autour de lui.

– Ce n'est pas beau, ici, dit-il.

La pièce avait un aspect bizarre, un peu penché. Beaucoup d'objets cassés s'entassaient dans les coins. L'enfant passa une porte après avoir tâtonné un moment pour trouver le moyen de l'ouvrir.

La pièce voisine était remplie de livres jetés en vrac sur le sol. L'enfant en prit un, l'examina dans tous les sens et sourit.

– C'est une boîte qui parle avec des signes de dieux, conclut-il.

Il lut un peu et ne comprit pas grand-chose. Jetant le livre, il en choisit un autre, gros et lourd. Il l'ouvrit, tourna la première page et lut : Dictionnaire universel encyclopédique – Édition 900 P-R. Il tourna ensuite une page blanche. La page suivante représentait un A magnifique.

– A, dit l'enfant ravi en caressant du doigt le caractère.

Puis, plus bas, il put lire :

« A, a – première lettre et première voyelle de l'alphabet humain. L'A nous vient de notre ancêtre, l'*Homo sapiens* terrien, l'animal le plus évolué de sa planète aux temps prévénusiens. »

L'enfant tourna plusieurs pages et arriva au mot
« alphabet ». Il lut attentivement plusieurs fois, prenant plaisir à reconnaître tous réunis les caractères
qu'il aimait. Puis il examina l'ensemble du livre et eut
un rire de contentement.

– L'enfant noir a compris. Toutes les choses sont ran-
gées comme dans l'alphabet, d'abord A, puis B, puis C
jusqu'au bout, puis entre A et B : d'abord Aa, puis Ab,
puis Ac. Et après : Aca, Acb, Acc… L'enfant noir a
compris. Il va chercher le tas de signes qui se dit : dieu.

« Dieu – sens propre : superstition grossière de l'animal *Homo sapiens* comblant commodément toutes les
lacunes de son savoir par l'existence d'un être invisible
et parfait, omniscient, omnipotent, éternel, créateur
et maître de toutes choses. Certains animaux de Mars
croient encore en un dieu. Les Srrebs de Vénus
croyaient en plusieurs dieux (voir Srreb). Sens figuré
(familier) : on appelle dieu un personnage ridicule et
ignorant qui prend des airs capables. »

L'enfant secoua la tête.

– Ces signes mentent !

Il rêva longtemps sur ce qu'il venait de lire et méprisa
profondément ses sauveurs.

– Le Doc 1 et l'Ing 3 ne sont pas des dieux. Mais l'enfant noir sait bien qu'il y a des dieux. Le dieu maître de
toutes choses est certainement leur chef, le chef de tous
les dieux. Il peut tout.

L'enfant lut avidement tout ce qu'il trouva. La masse
énorme des choses qu'il ne comprenait pas était mise à

l'écart dans un recoin de son esprit. Mais il n'oubliait jamais rien et finissait par repêcher des mots qu'il avait d'abord négligés, le sens d'un adjectif ou d'un verbe voisin les rendant soudain compréhensibles.

Au bout d'une heure, il ne lui fut plus nécessaire de lire ligne par ligne, il enregistrait d'un seul coup cinquante lignes à fois. Bientôt, un simple regard sur une page lui suffit pour la savoir par cœur.

Sa cervelle absorbait et assimilait des quantités prodigieuses, stimulée par une véritable boulimie de savoir.

Au bout d'un certain temps, il eut épuisé le gros dictionnaire et le jeta, sentant qu'il n'aurait plus jamais besoin de l'ouvrir, qu'il n'en oublierait rien. Il se vautra sur le sol et lut tout ce qui lui tomba sous la main.

Les traités scientifiques prédominaient : mathématiques, médecine, physique, astronomie… L'enfant n'eut pas beaucoup de peine à se passer d'ouvrages élémentaires. Il lui suffit d'un peu de réflexion pour les recréer mentalement.

2

Un rayon de lumière se glissa entre les paupières du Doc. Il ouvrit les yeux et bâilla.

— Bonjour, Ing 3, dit-il en se levant. Déjà au travail.

Brig alignait des équations sur une feuille de papier.

— Il est pratiquement impossible de revenir sur Vénus, dit-il. Nous manquons d'outillage, de spécialistes… Mais j'essaie quand même de trouver une solution. J'envisage de construire une nef plus petite. Cela représente environ dix ans de travail, si toutefois je trouve les matériaux nécessaires. Il faudrait démonter celle-ci.

— Si j'étais vous, je ferais plutôt confiance à la chance.

— Que voulez-vous dire ?

— D'ici dix ans, on sera certainement venu nous chercher.

— Je ne crois pas, Doc. Nous sommes portés manquants, c'est tout. Personne ne s'arrête jamais sur la Terre. Cette planète n'offre aucun intérêt. Il faudrait un hasard extraordinaire pour que des naufragés comme nous touchent la Terre exactement là où nous sommes,

à Niourk ! Et vous savez que les accidents sont extrê-
mement rares.

Le Doc se frotta les yeux. Il avait l'impression qu'un
nuage se dressait entre lui et son compagnon.

—Je ne sais pas ce que j'ai, dit Brig, je n'arrive pas à
vous distinguer nettement. Je dois avoir la vue fatiguée.

—Vous aussi, vous…

Le Doc s'interrompit. Cette fois, il était certain qu'un
nuage se formait devant lui. Il entendit le cri d'étonnement de Brig, sans voir ce dernier. Le nuage prit une
teinte plus foncée, se condensa, affecta la forme d'une
silhouette humaine, puis se dissipa. L'enfant noir apparut à sa place.

Le Doc se leva d'un bond et resta figé. Brig ouvrait de
grands yeux. L'enfant noir ferma le livre qu'il avait à la
main.

—Ne vous effrayez pas, dit-il, c'est une simple expé-
rience de lévitation. L'intérêt de la chose est que je l'ai
provoquée scientifiquement.

Il jeta le livre.

—Cet ouvrage ne relate que des faits sans les expliquer. Il est à peine dégagé de l'empirisme. Je suis heureux de constater que ma théorie était bien fondée.

L'enfant se tourna vers le Doc.

—J'ai oublié de vous remercier de ce que vous avez
fait pour moi, Doc 1.

Il marqua un silence.

—J'ai étudié mon cas, continua-t-il devant les deux
hommes médusés. Vous auriez gagné du temps en dosant
les séances de désintoxication suivant la progression

par quotient : trois minutes, six heures de repos, douze minutes, vingt-quatre heures, puis quarante-huit minutes, quatre-vingt-seize heures, et ainsi de suite.

– Par toutes les planètes ! rugit le Doc.

L'enfant le regarda dans les yeux. Le Doc s'assit sur la couchette placée derrière lui.

– Ne quittez pas mes yeux, dit l'enfant. Ça va passer… Doc. Détendez-vous, vous vous êtes trop fatigué ces jours derniers.

Il y avait quelque chose de comique à voir le sérieux de sa frimousse noire.

– Là, poursuivit-il, je suis sûr que vous vous sentez beaucoup mieux. J'ai conscience de vous avoir donné un choc.

Il eut un rire gai, enfantin.

– La pièce voisine de ma chambre est bourrée de livres, une vraie mine de renseignements. J'ai beaucoup appris, cette nuit.

Il se tourna vers l'ingénieur qui paraissait statufié au garde-à-vous, et s'approcha de lui. Il prit la feuille de papier noircie de calculs, la parcourut rapidement et branla la tête.

– Vous… Excusez-moi, surtout. Je crois que vous n'y êtes pas du tout, Ing 3. Ne vous inquiétez pas de ça. Je vous dirai ce qu'il faut faire pour rentrer chez vous.

– Qui êtes-vous donc ? balbutia Brig.

L'enfant eut l'air franchement étonné.

– Eh ? Mais je suis l'enfant noir. Celui que vous avez sauvé. Je vous ai dit que j'ai lu presque tous vos livres, cette nuit. Ça explique tout. Vous ne lisez jamais ?

L'Ing 3 s'assit et s'essuya le front. Le Doc se leva et posa sa main sur l'épaule de l'enfant noir.

– Comment t'appelles-tu, petit ?

– Figurez-vous que je n'ai pas de nom. Dans ma tribu, on m'a toujours appelé l'enfant noir. J'aimerais m'appeler Alphabet. Oui, vraiment, je trouve que c'est un joli nom, le nom d'une petite chose que j'ai eu beaucoup de plaisir à apprendre. Est-ce qu'on peut s'appeler Alphabet ?

Le Doc sourit, rassuré ; il retrouvait un enfant sous ce génie monstrueux.

– C'est un peu long, peut-être. Nous t'appellerons Alf, si tu veux.

– Alf ? Oui, c'est mieux, c'est plus court. J'aime bien Alf.

Le médecin s'assit et prit l'enfant sur un genou.

– Alf, j'ai quelques questions à te poser. Première question : où as-tu appris à lire ?

L'enfant sourit à ses souvenirs.

– Sur les affiches publicitaires de Niourk. J'avais déjà vu des affiches à Santiag, un port de Cuba, mais je ne comprenais rien. Je prenais les images pour des dieux.

« Écoutez, puisque ça vous intéresse, je vais tout reprendre au début. Mon récit ressemblera à ces livres que vous appelez "romans". En général, vos romans sont bêtes et ne servent qu'à perdre du temps, sauf pour moi qui ai tant de choses à apprendre. J'y trouve beaucoup de petits détails utiles. Enfin, voilà…

« Ma tribu était constituée d'hommes barbares. Nous avions bâti le village dans l'ancien golfe du Mexique entre Jamaï et Cuba…

3

Le Doc et l'Ing 3 étaient étendus côte à côte dans l'herbe douce tapissant une terrasse sous globe.

– Je n'ai jamais été aussi heureux, dit Brig. Mais j'ai hâte d'être chez moi. N'avez-vous pas l'impression que tout cela va tourner à la catastrophe, Doc ?

– Alf vous fait peur ?

– Franchement oui. Et il n'en fait qu'à sa tête ; trop de science dans une tête d'enfant.

– Pour l'instant, je ne m'en plains pas, dit le Doc.

Vautré sur la pelouse, une pâquerette entre les dents, il respirait la béatitude.

– À boire ! commanda Brig.

Une table-robot tourna l'angle d'un mur et roula en silence dans l'allée jusqu'aux deux hommes.

– Doping treize, demanda l'ingénieur.

Un bras métallique lui tendit un verre d'un liquide rouge.

– Vous ne prenez rien, Doc ?

La table hésita.

– Non, merci, dit le médecin.

La table s'éloigna sans un bruit.

– Avouez que vous n'aviez pas soif, dit le Doc en riant, vous ne vous lassez pas de jouer avec toutes ces petites choses. Nous avons pourtant mieux sur Vénus.

– Oui, mais on n'a jamais le temps d'en jouir. Et il faut bien s'occuper à quelque chose en attendant que ce petit démon soit disposé à construire notre nouvelle nef.

– C'est vraiment un enfant, vous savez. Niourk n'est pour lui qu'un jouet magnifique. Un jouet qu'il a fort bien su remettre en marche, d'ailleurs.

Son regard s'attarda sur la ville. Au loin, sur le bloc Guard, les fusées de transport, brillantes comme des têtes d'épingles dans le ciel bleu, arrivaient à raison d'une par seconde. L'immeuble ouvrait sa ronde bouche de métal et les gobait les unes après les autres, comme des mouches. Il les recrachait par la bouche de l'ouest et paraissait lancer vers l'Afrique un pointillé de balles traçantes qui s'infléchissait en une jolie courbe par-dessus l'horizon morne des jungles atlantiques. Les fusées rapportaient dans les entrailles de Niourk les matériaux fissiles arrachés aux mines du pays Cong.

Plus près, l'immense T du bloc tournait lentement sur lui-même. Comme une ruche, il était environné d'un nuage vrombissant de robots volants entrant et sortant par ses milliers d'ouvertures.

– C'est un enfant, comme vous dites, Doc. Pour l'instant, il s'amuse. Mais ne peut-il devenir dangereux pour nous quand il cherchera d'autres jouets ? Il finira par vouloir jongler avec les planètes. Je crois que…

– Brig !

— Non, laissez-moi parler, Doc. Je sais que vous vous êtes attaché à lui. Moi aussi, d'ailleurs. Mais il faut voir les choses en face. Physiquement, ce n'est qu'un petit animal ; mentalement, c'est un monstre. Le monstre le plus dangereux qui ait jamais vécu... Doc !

Brig posa la main sur le bras du médecin. Il acheva d'une voix sourde.

— Je crois qu'il faudrait... Enfin, dès qu'il aura construit la nef, il faudra le supprimer. C'est un devoir envers tout le système Sol, peut-être envers l'Univers tout entier.

— Vous ruminez de sombres pensées, Brig, dit une voix claire derrière l'ingénieur.

Les deux hommes sursautèrent. L'enfant noir était derrière eux, souriant. Les traits du visage de Brig s'affaissèrent. Il pâlit.

— Et maintenant, vous avez peur, dit Alf.

L'enfant s'assit sur la pelouse. Il enroula négligemment un brin d'herbe autour de son petit doigt, l'air concentré.

— L'ennui avec vous, c'est que vous vous croyez supérieurs parce que vous êtes nés dans un bocal, d'un ovule fécondé par une étincelle. Parce que je suis sexué, parce qu'une mère m'a donné le jour, vous me prenez pour un animal. Vous vous décernez à vous-mêmes le titre d'*Homo superior*. En fait, vous n'êtes pas des hommes, mais des robots...

Il leva la main pour empêcher le Doc de parler.

— Oui, je sais bien, j'exagère. Je veux dire que vous vous acheminez vers une civilisation de robots. Vous avez aboli la conception naturelle ; de siècle en siècle, vous abolirez une autre chose, puis une autre encore. Vous ne serez plus des hommes. Vous voulez monter très haut dans la puissance, mais vous n'avez gardé aucun point d'appui, vous avez eu tort de couper vos racines. Voyez-vous, je suis déjà monté plus haut que vous, mais ma personnalité s'étend de l'animal jusqu'à l'*Homo multipotens*. La vôtre ne va que de l'*Homo artificialis* à l'*Homo superior*. Ce serait à moi de vous mépriser, si j'étais encore capable de mépriser quelqu'un.

Le Doc parla d'une voix lente.

– Alf, dit-il, tu as entendu notre conversation.

– Bien sûr, dit l'enfant.

– Mon petit Alf, crois-moi. Quelles que soient nos pensées, il y a une chose certaine, c'est que nous t'aimons. Je te conjure de le croire.

L'enfant sourit.

– Je le sais bien, Doc. C'est une des choses que votre civilisation n'a pas encore réussi à supprimer : l'amour. C'est pourquoi je vous aime aussi, malgré vos folies passagères...

« Tenez, je me rappelle avoir lu quelque chose dans votre dictionnaire, Doc. La définition du mot dieu : superstition grossière de l'*Homo sapiens*. En êtes-vous vraiment là ? C'est un signe indubitable de votre insuffisance. Vous avez été assez forts pour fouler aux pieds les vieilles idoles et même l'idée un peu simple que l'*Homo sapiens* se faisait de Dieu. Mais si vous n'avez rien mis à la place, il vous manque quelque chose.

– Tu crois en un dieu, Alf ?

— Je crois en Dieu. Mais je crains de ne pouvoir vous expliquer. Vous êtes trop supérieurs ou pas assez, pour comprendre. Voilà ce que l'on gagne à naître dans un bocal… Vous n'avez pas assez d'intelligence et vous avez perdu la naïveté. Pauvres, pauvres « supérieurs » !

Alf regarda Niourk à travers le dôme transparent. Des hommes de métal se pressaient dans les rues.

— Bientôt tous ces robots seront bons pour la refonte. Je n'en aurai plus besoin. C'est un peu bête, un robot.

Un sourire enfantin illumina son visage.

— Venez avec moi, dit-il. Je vais vous montrer quelque chose.

Il les prit tous deux par la main. Les deux hommes virent tout se brouiller alentour, ils eurent une sensation de chute vertigineuse dans le néant, puis se retrouvèrent dans une petite salle où dix enfants noirs feuilletaient des volumes à toute vitesse, jetant à peine un regard sur chaque page.

Alf tenait toujours ses amis par la main.

— Qu'en dites-vous ? demanda-t-il.

— Quels sont ces ?…

Alf éclata de rire. Il désigna l'un des enfants.

— Celui-ci est moi, affirma-t-il, celui-là aussi. Tous les autres également.

Il ajouta d'un air sérieux :

— Je suis en train de m'instruire. C'est plus rapide ainsi. Je lis tout, toute la bibliothèque de Niourk, même les ouvrages sans valeur. Il y a toujours quelque chose à glaner.

Le Doc et Brig gardèrent un silence atterré.

—Lévitation, dédoublement, balbutia enfin le Doc. Où vas-tu t'arrêter ?

—Écoutez ce que je vais dire, jubila Alf, écoutez bien.

—Ces

—choses

—font

—beaucoup

—d'effet

—mais

—ne

—sont

—pas

—difficiles.

Chacun des dix enfants n'avait prononcé qu'un mot et la phrase avait pourtant coulé sans heurt, comme naturellement énoncée par une seule personne. Un vague sourire de connivence se jouait sur dix bouches enfantines pendant que chacun continuait à feuilleter son livre à toute vitesse.

—Je vais vous dire autre chose, dit Alf.

Il s'approcha d'un enfant noir tout en parlant et prit sa place tandis que l'autre se levait.

—Celui qui s'assoit et celui qui se lève sont également moi-même, continua le deuxième en éclatant de rire.

L'autre feuilletait son livre.

—Mais celui que nous avons sauvé, le premier, dit le Doc en regardant les deux enfants tour à tour ; lequel est-ce ?

—Il est actuellement occupé à mettre en place une nouvelle centrale pour le bloc Manhattan, aidé par deux cents frères jumeaux. Mais ce renseignement que je vous donne n'a qu'une valeur de curiosité, continua l'enfant après une fraction de seconde de disparition totale. C'est toujours moi, absolument moi. N'ouvrez pas de grands yeux, Brig. Je suis l'original, si cela peut vous intéresser. La fraction de seconde pendant laquelle j'ai disparu m'a servi à intervertir les sujets. La bouche qui a prononcé la première partie de ma phrase est en train d'ordonner quelque chose à un robot du bloc Manhattan.

4

Dans une vaste salle claire, une centaine d'hommes, de femmes et d'enfants étaient alignés les uns à côté des autres, immobiles. Le premier individu de la rangée montrait une haute stature, des muscles carrés saillaient sous le hâle de sa peau. Une barbe d'or s'étalait largement sur son torse. Comme lui, les autres étaient pieds nus. La plupart, surtout les femmes, portaient les traces d'une affreuse misère physiologique. De vieilles cicatrices striaient leurs membres. Leurs pieds, leurs coudes et leurs genoux montraient des callosités dues à la marche ou à la reptation en terrain vierge. On voyait les côtes des enfants aux ventres bombés.

Trois personnages apparurent brusquement devant eux : Alf tenant les deux Vénusiens par la main.

– Je vous présente ma tribu, dit l'enfant noir.

Il désigna l'hercule blond, figé comme une statue.

– Celui-ci est Thôz, dit-il. Puis voici Bagh. Et Gam ! Je ne vous présente pas tous les autres, ce serait inutile et trop long.

Il entraîna ses amis à l'autre extrémité de la rangée.

— Voilà l'ours, annonça-t-il. Mon ours.

— On les croirait vivants, dit le Doc.

— Ils sont vivants, protesta l'enfant. Toutes leurs fonctions sont simplement ralenties.

Brig hocha la tête.

— Alf, dit-il, je peux imaginer que tu as retrouvé leurs cadavres, mais il m'est impossible d'admettre que tu leur as rendu un aspect normal. Ils devraient porter les traces de la radactivité gazeuse.

— Ce ne sont pas leurs cadavres, voyons, dit Alf. Je les ai entièrement refaits. Ces hommes sont artificiels, quoique normaux.

Il pinça la peau du bras de Thôz.

— Cette peau vient d'un laboratoire qui m'en fabriquait trois mètres à l'heure. Ce laboratoire a été démonté depuis, je n'en ai plus besoin. Épithélium, conjonctif, musculaire, osseux, j'ai pu mettre au point la production de n'importe quel tissu vivant, par accélération mitosique. Le plus difficile était d'obtenir les cellules initiales.

Il caressa le bras de Bagh.

— Le reste a été facile. Presque aussi facile que le montage d'une machine. J'ai commencé par le squelette. Puis, progressivement, les muscles et certains organes. Enfin, pour la peau, ce n'était plus que du travail d'habilleur. Le plus gênant était d'agir sous un courant de plasma. La mise en place du système nerveux m'a posé aussi quelques problèmes. Je l'ai télécommandée à l'intérieur de chaque individu. Qu'en dites-vous, Doc ?

Le Doc se frotta le nez.

– Que veux-tu que je dise, mon petit ? Je suis épouvanté. Oui, c'est cela, de l'épouvante. J'ignore si je pourrai supporter une autre de tes fantaisies effrayantes sans devenir fou.

– Vous ne deviendrez pas fou, rit Alf. Je suis là pour veiller sur votre santé. Les mécanismes mentaux n'ont plus de secrets, croyez-moi. Sachez que lorsque ma tribu se remettra à vivre, à vivre normalement j'entends, chaque individu retrouvera intacts tous ses souvenirs, tous ses instincts tels qu'ils étaient fixés dans les muscles disparus.

– Les muscles ?

– Je dis bien : les muscles. Ne croyez pas que le cerveau comprenne quoi que ce soit ; le système nerveux n'est qu'un relais. Il relie la fonction sensitive à la fonction motrice, et encore pas toujours. L'estomac « comprend », « sait » qu'il a faim et envoie au valet cerveau l'ordre de transmettre ce renseignement aux muscles « intelligents » qui doivent agir en conséquence. C'était la grosse erreur de votre physiologie de voir les choses différemment.

« La pensée n'est qu'un ensemble complexe de microcontractions ou microsensations musculaires. Et même si vous pensez un mot abstrait, ce n'est jamais que la microformation rapide et inconsciente de ce mot par vos muscles linguaux qui constitue votre pensée même.

« Les hommes prévénusiens (*Homo sapiens*, bien entendu) avaient déjà entrevu la vérité. Mais les textes de ces précurseurs ont été perdus lors du grand exode vers Vénus.

226

— Mais c'est impossible, s'insurgea le Doc, le cerveau est un organe sans lequel…

— Oui, Doc. Je connais par avance tous les impossibles que vous allez me jeter à la figure. Il faut dire que mon petit exposé a été trop bref pour vous convaincre ; je ne vous ai pas donné de détails probants. Mais je vous expliquerai cela une autre fois, j'ai encore des choses à vous montrer.

L'enfant désigna le plafond. Au-dessus de chaque membre de la tribu pendait à un fil une lampe en forme d'entonnoir.

— Chaque lampe, expliqua Alf, fait défiler dans chaque organisme le film de ses propres souvenirs.

Il alla consulter un cadran derrière Thôz, puis, désignant celui-ci :

— Thôz, ce Thôz immobile que vous voyez là, est en train de rêver qu'il combat un ours. Mais son rêve a la netteté du réel. Quand je rendrai Thôz à la vie, il sera exactement le même qu'autrefois. Naturellement, j'ai opéré quelques retouches, j'ai supprimé le souvenir de son agonie, par exemple… Il se figurera être rentré au village aussitôt après avoir été libéré des poulpes géants.

Alf s'assit sur le sol.

— Excusez-moi, dit-il. Je suis fatigué. Ce sera fini dans une minute.

Son corps parut s'animer d'un tremblement convulsif. L'enfant se releva.

— Là, dit-il. Tout le monde est rentré.

Il sourit à ses amis.

– J'ai rappelé à moi tous mes jumeaux. Vous avez devant vous un seul et unique exemplaire d'enfant noir. Je ne travaille plus nulle part pour l'instant. Je suis seulement en train de converser avec vous.

– Impensable ! dit lentement Brig en branlant la tête.

L'enfant éclata de rire :

– Eh bien, Brig ! Avez-vous toujours envie de me tuer ?

Brig le regarda dans les yeux.

– Si, comme je le suppose, tu peux lire mes pensées, tu dois savoir que non.

L'enfant éclata de rire :

– Je vous aime bien, Brig. Je vous aime bien tous les deux, mes chers « supérieurs asexués ».

Il les prit par la main.

– En avant ! dit-il, j'ai encore des révélations à vous faire.

5

Suivant leur guide, ils se laissèrent emporter plus haut par un escalator.

— Et la lévitation, qu'en fais-tu ? plaisanta le Doc.

— C'est fatigant, à la fin, répondit Alf. Déplaçons-nous d'une façon normale, pour une fois.

À mesure qu'ils montaient, leur parvenait le crescendo perlé, aérien, d'une musique lointaine.

— C'est joli, n'est-ce pas ? dit l'enfant.

Il les entraîna dans un couloir qui se terminait en passerelle débouchant dans le vide d'une salle immense. Il faisait presque sombre. L'irréelle clarté qui nimbait de bleu la passerelle et les visages des trois amis venait d'une multitude de billes de feu paraissant flotter autour d'eux dans l'espace.

Il y en avait de plus ou moins grosses, depuis la taille d'une tête d'épingle jusqu'à celle d'une pomme. Certaines brillaient d'un vif éclat bleu ; d'autres tiraient sur l'orange. D'elles venait également la musique céleste qui avait étonné les deux Vénusiens. Chaque boule paraissait émettre un son léger, chaque son se fondait dans l'immense harmonie des autres.

Les deux amis de l'enfant avaient sur le visage une expression sereine et ravie.

—C'est magnifique, dit enfin le Doc. À quoi cela sert-il ?

Il parlait à voix basse, comme dans un temple.

—On se croirait dans l'espace, au milieu des astres, remarqua Brig.

—Vous ne croyez pas si bien dire, admit l'enfant.

Il engloba du geste l'énorme anneau suivant la forme duquel les milliards de sphères se congloméraient autour d'eux. La passerelle avançait à peu près au centre de cet anneau qui passait à une centaine de mètres au-dessus et au-dessous.

—Vous avez devant vous une reproduction exacte de notre galaxie, dit Alf. Je vous informe que cette reproduction est animée.

Il désigna une petite boule brillante, non loin d'eux.

—Voici Sol et son cortège de planètes. Chaque planète est animée des mêmes mouvements qu'elle effectue dans la réalité. Ce synchronisme est d'ailleurs parfait car Mars, par exemple, influence directement la position de la maquette. Il en est de même pour les autres.

Brig et le Doc se penchèrent en avant, dévorant des yeux le petit soleil.

—Je ne vois aucune planète, dit le Doc.

L'enfant claqua des doigts.

—L'écran, ordonna-t-il.

Un robot s'avança sur la passerelle, poussant devant lui un chariot métallique surmonté d'un cadre circulaire. Les pas lourds du robot sonnaient en échos sinistres dans la salle.

— Merci ! dit l'enfant.

Le robot s'éloigna.

L'enfant cadra le système solaire au milieu du bizarre cerceau porté par le chariot.

— Appelez ça une loupe, si vous voulez, dit-il. Les planètes sont trop petites pour que vous les distinguiez à l'œil nu.

Il pressa un bouton. Le système solaire tout entier grossit à la vue des deux hommes.

— Merveilleux, dit Brig. Voyez, Doc, c'est bien Vénus, et Mercure... et Mars... exactement ! Mais...

Il rit légèrement, et jeta un regard complice au Doc.

— C'est la première fois que je te prends en faute, Alf, continua-t-il. Tu as oublié la Terre. C'est pourtant la planète qui nous intéresse le plus pour l'instant.

— Je n'ai pas oublié la Terre, dit l'enfant.

— Mais où la vois-tu ? demanda le Doc, les yeux exorbités sur le système solaire.

D'un air détaché, comme un enfant qui avoue une énormité avec naturel dans l'espoir que personne ne le grondera, Alf déclara :

— La Terre est sortie du système solaire. Elle est ailleurs.

Les deux Vénusiens gardèrent un calme effrayant pendant une bonne minute. Puis Brig se précipita sur l'enfant et le secoua par les épaules.

– Tu ne veux pas dire que tu as l'intention de faire ça, Alf ? Tu deviens fou !

– Tu te moques de nous ! renchérit le Doc. Empêcher une bille de tourner autour d'une lampe est facile ; mais jouer avec de vraies planètes… !

L'enfant s'arracha doucement à l'étreinte de l'ingénieur.

– C'est possible, dit-il lentement, c'est même fait.

Il se détourna, marcha vers l'autre extrémité de la passerelle et tira une poignée : la passerelle monta d'une vingtaine de mètres.

L'enfant prit une longue baguette et désigna précautionneusement un point au centre de l'anneau galactique.

– Voici la Terre ! dit-il. Je ne cherche pas à vous impressionner, c'est la vérité ! De même que cette minuscule parcelle…

Il centra le point invisible au milieu de l'écran et poussa un bouton pour obtenir un fort grossissement visuel. La Terre apparut, avec ses hauteurs à profil reconnaissable, avec ses dépressions asséchées.

– De même, disais-je, que cette parcelle se trouve au centre de la salle, sa grande sœur, la vraie Terre, avec ses jungles, ses villes mortes, ses monstres, avec Niourk et nous-mêmes qui discutons en ce moment, nous nous trouvons à une distance considérable de Sol, en plein centre de la Galaxie. La Terre est la plus isolée de toutes les planètes, à l'abri de tous les dangers qui pourraient venir de l'étranger. Car je doute qu'on puisse arriver jusqu'à nous ; j'ai d'ailleurs pris les précautions voulues.

Le Doc eut un gros soupir tremblé. Brig s'essuyait le front avec frénésie, tous deux gardaient un silence mortel. L'enfant noir reprit :

— Et sa position est parfaitement sûre, à égale distance de toutes les forces d'attraction des autres étoiles. Ces forces s'annulent et la maintiennent en un point à peu près fixe.

Le Doc se reprit le premier. « C'est idiot, se dit-il, l'enfant est devenu fou. Il s'amuse avec des petites boules et prend ses désirs pour des réalités. Prenons cette discussion avec indifférence, comme un jeu de l'esprit. » Il cligna discrètement de l'œil en direction de Brig. Mais l'ingénieur était trop atterré pour le remarquer.

Le Doc s'approcha de l'écran grossissant.

— Et peux-tu m'expliquer comment tu as pu faire voyager la Terre ? demanda-t-il d'un ton paterne.

— Imaginez, dit l'enfant, que je veuille déplacer une balle sans la basculer sur son axe. Que ferais-je ? Je commencerais par maintenir fermement ses deux pôles par deux… disons, par deux épingles, et j'amènerais les épingles là où je veux.

Il rêva un instant, puis continua.

— Je vous emmènerai aux pôles un jour, vous y verrez les traces de mes installations. Pour parler comme les poètes de jadis, j'ai mené la Terre à travers l'espace en lui passant un mors d'argent, comme à un cheval, et mes rênes s'attachaient aux deux pôles. Le mors dont je vous parle était constitué par un champ de forces traversant la Terre du nord au sud comme une longue aiguille transperçant une orange.

—Non, explosa Brig, tu ne me feras pas croire une chose pareille ! Tu rêves éveillé, mon petit, tu t'es trop fatigué avec tes expériences idiotes et dangereuses !

Il porta une main tremblante à son front et poursuivit.

—Et Sol ! La succession des jours et des nuits s'est toujours passée normalement, nous sommes donc restés près de Sol. Et... et toutes les perturbations que cela aurait entraînées, et... et la Lune.

—Ah ! la Lune ! admit l'enfant. Je l'ai perdue en chemin, je l'ai laissé capter par une constellation. Mais je m'en suis aperçu à temps et j'en ai volé une autre au passage un peu plus loin. Elle fera toujours rêver les habitants de la Terre, par les nuits claires. Elle n'a pas tout à fait le même aspect, mais qu'importe ! Tenez, la voici.

Le Doc scruta le satellite de la petite Terre.

—Par Sol ! jura-t-il, c'est pourtant vrai ! Notre Lune était un peu plus petite.

—Quant aux perturbations dont vous parliez tout à l'heure, Brig, vous ne les avez pas remarquées parce que je vous ai fait dormir à votre insu pendant six mois, vous et le Doc, tandis que je menais la Terre en zigzag à travers les constellations, comme un bon capitaine dirige son bâtiment entre les récifs.

D'abord scandalisé, le Doc haussa les épaules.

—Allons, dit-il, la plaisanterie a assez duré. Ce matin, il a fait jour comme d'habitude. Quel est le Sol qui nous a éclairés ?

L'enfant sourit et désigna près de la Terre une petite étincelle qui disparaissait peu à peu derrière Usa.

— Voilà le Sol que vous avez vu se lever ce matin, Doc. Je l'ai créé de toutes pièces. C'est une minuscule étoile satellite de la Terre. Elle donne autant de lumière et de chaleur que Sol parce qu'elle est plus rapprochée. Vue de chez nous, elle a le même aspect et la même utilité. Désormais, c'est Sol qui tourne autour de la Terre et non la Terre qui tourne autour de Sol. Mais je vous répète que pour nous il n'y aura pas de différence, notre rythme de vie n'en sera pas changé.

Alf fit signe aux deux hommes de le suivre.

— Venez vite ! dit-il.

6

Ils se retrouvèrent au sommet du plus haut bâtiment de Niourk, sous une coupole transparente.

– Voyez, dit l'enfant en désignant le soleil couchant. Voilà l'étincelle dont je vous montrais le modèle tout à l'heure.

Brig éclata de rire.

– Nom de… Tu m'as presque fait marcher, Alf. Tu as des dons de comédien sensationnels.

L'enfant leva la main.

– Attendez un peu, dit-il. La nuit va tomber rapidement maintenant. Nous allons voir si j'ai des dons de comédien quand vous ne reconnaîtrez plus les constellations habituelles. Les étoiles vont devenir visibles.

Dans l'heure qui suivit, le Doc et Brig durent se rendre à l'évidence. Il leur fut impossible de retrouver la carte du ciel telle qu'ils la connaissaient depuis toujours. L'enfant dut les emmener d'urgence dans un laboratoire pour les soigner. Le choc avait été trop dur pour eux…

– Et maintenant, dit Alf, lorsqu'il les eut remis sur pied, je suis obligé de remarquer qu'il y a une question que vous ne m'avez posée ni l'un ni l'autre. Une question qui devrait pourtant vous tenir à cœur.

Le Doc réfléchit.

– Comment allons-nous revenir sur Vénus ? demanda-t-il enfin.

– Voilà ce que j'attendais ! dit Alf en tapant puérilement dans ses mains. Je vous répondrai tout à l'heure. Et pourquoi, Doc, ne m'avez-vous pas demandé cela plus tôt ?

– Ma foi, je…

– Tu nous as complètement retournés avec tes révélations, coupa Brig.

L'enfant noir prit un air espiègle.

– Ce n'est pas ça, dit-il. Je vais vous dire, moi, pourquoi vous ne m'avez pas demandé plus tôt comment rentrer chez vous… C'est parce que vous n'en avez pas tellement envie.

– Pourtant… protesta faiblement le Doc.

– Il est certain, avoua Brig, que mon désir de rentrer se fait de plus en plus platonique. Je voudrais être sur Vénus, ou du moins ma raison me le dit, mais je me suis attaché à… à la Terre, même si elle est devenue une planète isolée comme jamais aucune ne le fut.

– Vous avez exactement exprimé mes sentiments, dit le Doc. Au fond, je ne désire pas m'en aller d'ici. Et pourquoi, d'après vous… ?

L'ingénieur jeta un regard en biais à l'enfant noir.

– Je soupçonne Alf de nous avoir fait absorber une mixture quelconque. Ou plutôt...

– Oui ? dit l'enfant. Achevez votre phrase !

– Ou plutôt de nous avoir influencés par je ne sais quel rayon.

Alf leva un doigt solennel.

– Écoutez-moi bien, dit l'enfant. Je ne pouvais pas faire une chose pareille au Doc et à Brig, qui sont mes amis ! Je leur avais promis de leur construire une nef de secours, je l'ai fait.

– Quand vas-tu nous la montrer ? demanda le Doc d'un ton lamentable.

– Je ne sais ce qui se passe en vous, Doc. Vous n'avez plus envie de rentrer, mais votre loyalisme envers votre gouvernement va vous obliger à embarquer, si j'ai tenu parole et si la nef est prête. Vous êtes un homme d'honneur.

Le Doc se passa la langue sur les lèvres et ne répondit pas.

– Rassurez-vous, mes amis, dit Alf. La nef est partie sans vous.

– Quoi ? s'étrangla Brig.

Alf rit de bon cœur.

– Ne soyez pas hypocrite, Brig. Avouez que cette révélation vous a soulagé. Vous êtes aussi content que le Doc. Allons, avouez vite...

Les deux hommes avaient les yeux humides. L'enfant les prit affectueusement par le bras.

– De mon côté, j'avais un problème à résoudre. Moralement obligé de tenir ma promesse, je souffrais de me séparer de vous. J'ai donc tenu parole et j'ai donné la nef au Doc et à Brig. Il y a longtemps qu'ils sont arrivés sur Vénus.

— Tu as envoyé des copies de moi et du Doc sur Vénus ! explosa Brig.

— Non, dit Alf. Je n'aurais pas tenu parole en conservant les originaux. C'est vous… qui êtes des copies.

— Mais alors, nous vivons un rêve, nous… nous… balbutia le Doc.

— Je vous ai fabriqués de toutes pièces, déclara l'enfant. Je vous répète que le vrai Doc et le vrai Brig sont partis. Vous n'êtes que des copies parfaites, à ceci près que, voulant garder ces copies pour moi, je les ai faites de telle sorte qu'elles désirent rester sur Terre.

— Mais enfin, c'est impossible. Je « suis » Brig. Je me « sens » le même. C'est une histoire folle !

Brig chancela.

— Vous vous « sentez » le même, dit l'enfant imitant le ton de l'ingénieur. Vous ne pouviez me faire meilleur compliment. Cela me prouve à quel point vous êtes réussi. Et dire que vous exprimiez des doutes quant à la perfection du nouveau Thôz et de la nouvelle tribu. Pour moi qui « savais », ces doutes avaient, dans votre bouche, une certaine saveur.

Il rêva un instant, puis continua :

— La fatalité m'avait privé de ma tribu, je m'en suis fabriqué une autre identique. La parole donnée m'avait obligé à renvoyer chez eux Brig et le Doc. Je m'en suis fabriqué d'autres.

Il se tourna vers ses amis.

— Je vous donne Niourk, dit-il. Je suis certain que vous allez bien vous amuser avec. Les grandes vacances sont commencées. Moi, je vais vous quitter, je vais mener la seule vie qui vaille la peine d'être vécue.

— Tu veux t'en aller, mon petit Alf ? s'inquiéta le Doc.

L'enfant sourit.

— C'est amusant de s'entendre appeler « mon petit Alf » par quelqu'un qu'on a fabriqué… Oui, je pars. Mais je reviendrai vous voir assez souvent.

7

La brousse émettait un bruissement de cigales, à peine rompu de temps en temps par le lointain roucoulement d'un ramier.

La sueur coulait sur le front des chasseurs. Thôz s'inclina vers le sol, examinant des traces. Il déroula lentement sa fronde et dit à voix basse :

— Les chiens sauvages ne sont pas loin. Thôz va les tourner par le sud avec Bagh et Gam. L'enfant noir les attendra ici, avec les autres chasseurs.

L'enfant fit un geste d'assentiment. Les trois hommes s'enfoncèrent dans les buissons. L'enfant fit signe aux autres de l'imiter, et se coucha dans les hautes herbes.

Il était mal. Des cailloux blessaient ses genoux, un moustique lui piquait l'épaule, il avait trop chaud. Il lécha la blessure d'une épine à son poignet, essuya la sueur qui lui piquait les yeux et prit le bâton brillant.

— Que les chasseurs se taisent, dit-il, les chiens sauvages vont arriver par ici. Les chasseurs vont les tuer à coups de pierres. L'enfant noir les aidera avec l'arme des dieux. Il y aura beaucoup de viande dans le brasier du village, ce soir.

Il fit signe à l'ours de s'allonger près de lui et lui caressa la tête. Puis il mit son oreille contre le sol, guettant le galop des chiens. Un sourire indéfinissable errait sur ses lèvres saignantes, gercées par le froid de la nuit précédente.

– La seule vie qui vaille la peine d'être vécue, murmura-t-il, en pensant à la pâle copie d'Alf que Brig et le Doc (les vrais) avaient emmenée sur Vénus sans rien soupçonner de la substitution.

Table des matières

Stefan Wul

L'auteur

Stefan Wul est le pseudonyme de Pierre Pairault. Né à Paris le 27 mars 1922, il commence à écrire dès l'enfance. Contraint d'entreprendre des « études sérieuses », il s'oriente à dix-huit ans vers la chirurgie dentaire.

Établi en 1956 à quatre-vingts kilomètres de Paris, le virus de la science-fiction le saisit. Écrivant le matin, exerçant sa profession de dentiste l'après-midi, il signe, en moins de quatre ans, onze romans sous le nom de Stefan Wul, pseudonyme faisant référence au nom d'un ingénieur atomiste de l'Oural découvert dans une revue spécialisée. *Niourk*, la deuxième de ses œuvres, est son plus grand succès en France. Quant à *Oms en série*, il servira de scénario à un grand film d'animation, *La Planète sauvage*. En 1977, après vingt ans de silence, Stefan Wul publie son dernier roman, *Noô*, véritable livre-univers qu'il met cinq ans à écrire.

Ses œuvres sont aujourd'hui considérées comme des classiques de la science-fiction française.

Stefan Wul meurt le 26 novembre 2003, à l'âge de 81 ans.

Victor de la Fuente

L'illustrateur

Né en Espagne en 1927, **Victor de la Fuente** débute très
jeune sa carrière dans la publicité et l'illustration. De 1940
à 1959, il s'installe sur le continent américain, travaillant
tantôt aux États-Unis, tantôt au Chili, où il fonde une
agence de publicité. De retour en Europe en 1960, il se
consacre presque entièrement à la bande dessinée. Il par-
ticipe notamment à la création de la revue À *suivre* avec
Haggarth, une série d'heroic fantasy en noir et blanc, et à
L'Histoire de France en bande dessinée. Auteur de multiples
travaux d'une grande diversité, Victor de la Fuente est
considéré comme l'un des plus grands illustrateurs réalistes
espagnols et a obtenu de nombreux prix dans différents
pays.

Découvre un autre livre
de **Stefan Wul**

dans la collection

RETOUR À « O »

n° 709

Le gouvernement terrien a chargé le savant Jâ Benal
d'espionner les habitants de la Lune qui projettent une
attaque de la Terre. Après avoir aluni sur le mont Circé,
Jâ affronte les gôrs, des monstres hideux qui paralysent la
volonté de leurs adversaires. Parvenant par la ruse à leur
échapper, il atteint la vallée des cendres mais se retrouve
prisonnier dans une grotte envahie par des flots de lave
brûlante… Réussira-t-il à s'extraire de cet enfer pour sauver les Terriens ?

Si tu aimes voyager dans le temps
et dans l'espace, tu peux lire aussi,

dans la même collection :

L'ÎLE DU DOCTEUR MOREAU
H. G. Wells
folio n° 557
junior

Unique survivant d'un naufrage, Edward Prendick est recueilli sur une île des mers du Sud par deux personnages au comportement des plus singuliers : le docteur Moreau et son assistant, Montgomery. Croyant tout d'abord qu'ils sont les seuls habitants des lieux, Prendick va découvrir avec terreur que l'île est également peuplée de créatures monstrueuses, mi-hommes, mi-bêtes, vivant sous la domination du docteur Moreau et de son inquiétant assistant. Des créatures que de sombres événements vont pousser à la révolte…

UN COUP DE TONNERRE

Ray Bradbury

folio n° 664

junior

Vers 2070, comme les voyages dans le temps ne posent techniquement aucun problème, Eckels décide de partir à la chasse à l'époque de la préhistoire. On lui a choisi un dinosaure qui doit mourir sous peu. Eckels encourt le risque énorme de modifier le présent en agissant sur le passé. Il suffirait en effet de presque rien…

FRANKENSTEIN

Mary Shelley

folio
junior n° 675

Le 1er août 17.., alors qu'il effectue un voyage d'exploration dans l'océan Arctique, le capitaine R. Walton, commandant l'*Albatros*, recueille à son bord un naufragé à demi-mort de froid, dérivant sur un banc de glace. Se prenant d'amitié pour le capitaine, le rescapé lui fait le récit de sa vie et lui confie son terrible secret : homme de science, il a créé un être à l'apparence humaine mais, habité de passions animales, le monstre s'est révolté contre son créateur, le docteur Frankenstein…

MÉCANIQUES FATALES

Philip Reeve

folio junior n° 1443

Londres a rallumé ses moteurs : la cité sur roues est à la recherche de nouvelles proies ! Dans le Terrain de Chasse, les locomopoles se poursuivent, affamées. Hester Shaw, elle, est tenaillée par une autre faim : la vengeance. Parviendra-t-elle à retrouver l'assassin de sa mère ? Accompagnée de Tom, un jeune apprenti historien, elle se lance à la poursuite de la ville. Elle ne sait pas encore qu'une créature des ténèbres, surgie de son propre passé, est chargée de l'intercepter...

L'OR DU PRÉDATEUR

Philip Reeve

folio junior n° 1456

Depuis qu'ils ont fui Londres en cendres, Tom et Hester voyagent à bord du Jenny Haniver. Mais les voilà traqués par un mystérieux réseau de fanatiques. Le jeune couple se réfugie alors à Anchorage, la cité polaire dévastée et victime d'étranges disparitions. Cette dernière cherche à se mettre à l'abri des locomopoles affamées, et se dirige vers le légendaire et lointain Continent Mort…
La suite de *Mécaniques fatales*.

LA CITÉ DE L'OMBRE

Jeanne DuPrau

folio junior n° 1325

Lina et Doon vivent dans la plus étrange des villes. Creusée sous terre, elle est éclairée artificiellement. Mais l'énergie et les vivres commencent à manquer et les dirigeants, despotiques, vivent comme des rois et se moquent bien de l'avenir.

Un jour, Lina découvre un message secret qu'elle tente de déchiffrer. Il semble expliquer comment quitter cet endroit. Malgré les menaces du pouvoir en place, Lina et Doon vont-ils réussir à convaincre la population de les suivre pour fuir leur cité vouée à la disparition ? Un autre monde est-il à leur portée ? Un monde où vivre à la lumière du soleil…

Mise en pages : Chita Lévy

Loi n° 49-956 du 16 juillet 1949
sur les publications destinées à la jeunesse
ISBN : 978-2-07-061950-4
Numéro d'édition : 157999
Premier dépôt légal dans la même collection : septembre 1987
Dépôt légal : mai 2008

Imprimé en Espagne chez Novoprint (Barcelone)